WONDERKINDEREN

Oorspronkelijke titel *Vidunderbarn*
© Oorspronkelijke tekst Roy Jacobsen, 2009
© Nederlandse tekst Paula Stevens en Uitgeverij de Rode Kamer
Eindredactie Ton Lelieveld
Met toestemming van Cappelen Damm AS,Oslo
Omslagontwerp Rolf van Kammen
Lay out Rough Design Haarlem,
Druk- en bindwerk Print Support 4U, Meppel
ISBN 9789491259838
NUR 302
1e druk september 2013
www.rodekamer.nl

Roy Jacobsen

Wonderkinderen

ROMAN

Uit het Noors vertaald door

Paula Stevens

Uitgeverij de Rode Kamer, Haarlem

*De vertaalster ontving voor de vertaling van deze roman
een werkbeurs van het Fonds voor de Letteren*

1

Het begon ermee dat mijn moeder en ik onze flat gingen opknappen. Dat wil zeggen dat ik het onderste deel van de muur verfde, en aangezien ik nogal klein van stuk was, was dat een hele klus, terwijl zij op een keukenstoel stond en zich concentreerde op wat er onder het plafond moest gebeuren. In de praktijk duurde het maanden om één muur te verven. Maar op een avond kwam mevrouw Syversen langs, bekeek ons werk, vouwde haar armen over haar enorme boezem en vroeg:

'Waarom probeer je niet eens een behangetje, Gerd?'

'Behang?'

'Ja, kom maar mee.'

We liepen met mevrouw Syversen mee die aan de overkant van de overloop woonde en bij wie ik nog nooit binnen was geweest, ook al waren we al jarenlang buren en woonde Anne-Berit daar, een meisje van mijn leeftijd dat in een parallelklas zat, met haar twee kleine zusjes, een tweeling van zes naar wie vaak verwezen werd als mijn moeder iets op mij aan te merken had.

'Neem een voorbeeld aan Reidun en Mona,' klonk het dan. Of ze verwees naar Anne-Berit, die het volgens mevrouw Syversen leuker vond om binnen te blijven, bij haar bed en haar eten, dan buiten te spelen, op straat waar het leven één grote chaos was met zijn enorme voorraad bekistingshout en bouwblokken en dakpannen die overal tussen de flats lagen of op de met gras begroeide hellingen vol boomstronken en stammen en stromende beekjes en dicht struikgewas en onzichtbare modderpaadjes waar je vuurtjes kon stoken van teerpapier en bitumen en kapotte planken en je hutten kon bouwen van twee verdiepingen of meer, hutten waar beroemde veldslagen om werden geleverd door de grote en onoverwinnelijke jongens, bouwwerken die om niks konden worden gesloopt en die de volgende dag weer moesten worden opgebouwd, altijd door anderen dan degenen die ze hadden afgebroken. De mensen die bouwen zijn nooit dezelfden als zij die slopen, en dat vermeld ik omdat ik zelf een van de bouwers was, ook al was ik klein en heb ik menige traan

5

vergoten als ik onze kastelen in puin aantrof. Er werd gesproken over represailles en gruwelijke wraak, maar de vandalen hadden niets te verliezen behalve hun humeur en hun brede grijns; daar was al een tweedeling te bespeuren, tussen hen die iets te verliezen hadden en degenen bij wie dat niet het geval was en die ook niet van plan waren het ooit zover te laten komen. En die wereld was niets voor Anne-Berit en haar zusjes, die bouwden niet en braken niet af, die zaten rond de keukentafel en aten een avondboterham, de hele dag door voor mijn gevoel, en nu zat meneer Syversen er ook, hij troonde aan het hoofd van de tafel in zijn nethemd; zijn bretels hingen op zijn indrukwekkende bulldozerdijen die over de fragiele stoelzitting puilden.

Aan de wanden van de woonkamer van de familie Syversen zagen we voor het eerst het grootbloemige behang dat in de loop van de jaren zestig Noorse arbeidersstulpjes zou veranderen in tropische mini-jungles, met tussen de lianen smalle, door ranke messing beugels ondersteunde teakhouten boekenplanken en een bruin-beige-wit gestreepte hoekbank, verlicht door onzichtbare lampjes die als fonkelende hemellichamen onder de planken waren gemonteerd. Ik zag de wat koele, afwezige blik in mijn moeders ogen, een meisjesachtig enthousiasme dat, zo wist ik, drie, vier seconden kon duren om vervolgens over te gaan in haar gebruikelijke angstvalligheid die weer zou uitmonden in een realistische grondhouding: 'Nee, dat kunnen wíj ons niet veroorloven. Dat kunnen wíj niet doen.' Of: 'Dat is niks voor ons' et cetera. Er waren in die tijd heel veel dingen die 'niks voor ons' waren, voor mijn moeder en mij, aangezien ze maar halve dagen werkte in de schoenenwinkel op Vaterland, zodat ze thuis kon zijn als ik uit school kwam. Daarom was ze ook niet in staat om 'de jongen op vakantie te sturen', zoals ze dat elke keer als het voorjaar naderde verwoordde; alsof ik ergens naartoe gestuurd wilde worden, ik wilde thuis zijn, bij mijn moeder, ook 's zomers: veel mensen in ons buurtje bleven 's zomers thuis, ook al deed iedereen alsof dat niet zo was, of anders beweerden ze wel dat ze geen enkele behoefte aan vakantie hadden.

'Is dat niet vreselijk kostbaar?' vroeg ze, een woord dat ze alleen gebruikt als er andere mensen bij zijn: onder vier ogen zeggen we gewoon duur als dat van toepassing is.

'Nee hoor,' zei mevrouw Syversen, die op Zweedse damesbladen geabonneerd was – in tegenstelling tot mijn moeder die alleen Noorse las. Ze pakte een stapeltje van die bladen van een plank in het tropische regenwoud en zocht een reportage uit Malmö op terwijl ze in één moeite door naar meneer Syversen in de keuken riep dat hij moest komen om de bonnetjes aan Gerd te laten zien.

Ik keek naar de grote man die 'ja, ja' bromde en die een en al bereidwilligheid was toen hij naar de teakhouten stellage waggelde en een laatje uittrok waarin niet veel meer paste dan een ansichtkaart terwijl ik die merkwaardige geur van een volwassen, hardwerkende man in mijn neus voelde prikkelen en ik dacht wat ik altijd dacht als deze reusachtige man te dicht bij me kwam, in het portiek of de hobbyruimte – dat het misschien toch niet zo erg was dat ik geen vader had, ook al was meneer Syversen goeiig en ongevaarlijk en maakte hij altijd vriendelijke opmerkingen over onderwerpen die mij niet interesseerden. Het was duidelijk dat zijn vrouw verantwoordelijk was voor de geslaagde opvoeding van de drie meisjes die nog steeds in de keuken met grote, zwijgende bewegingen zaten te kauwen terwijl ze steelse blikken in onze richting wierpen.

Het interessante was dat mijn moeder deze bonnetjes niet met haar gebruikelijke dooddoeners van tafel kon vegen: het behang was namelijk niet erg 'kostbaar' en het was ook niet in Zweden gekocht, maar in de ijzer- en verfhandel in het winkelcentrum van Årvoll, naast de bank, Agda's Manufacturen en Myklebust, waar we ons eten kochten als we om de een of andere reden niet onze boodschappen deden bij Lier op de Travervei of bij Omar Hansen in de Refstad allé, en waar mijn moeder tot vorig jaar een vrieskist had gehuurd, tot die te duur werd of tot we beseften dat we niet wisten wat we ermee aan moesten; dit was het jaar van de Berlijnse Muur, van president Kennedy en het was waarschijnlijk vooral het tijdperk van Joeri Gagarin, de Rus die een hele wereld versteld deed staan door levend terug te keren uit een zekere dood. Overigens was het ook de tijd dat een Jaguar Mark ii 49.300 Noorse kronen kostte, een weetje dat ik hier niet alleen als curiositeit vermeld, maar ook omdat ik die prijs en de auto ooit op een auto-tentoonstelling op de renbaan van Bjerke heb gezien en nooit meer heb kunnen vergeten, misschien vanwege het feit dat ik wist dat we een borg van 3200 kronen voor onze flat hadden betaald, wat betekende dat de Jaguar evenveel waard was als zestien flats, met andere woorden, een heel woonblok. En een systeem dat een auto gelijkstelt aan het thuisfront van 76 springlevende mensen van alle leeftijden, zoals die bijvoorbeeld in Blok 3 woonden – dat is het soort informatie dat, als je een kind bent, bij je naar binnen dendert als een goederentrein en dat je daarna niet zomaar kunt loslaten; denk eens aan alle luchtjes, elk gezin heeft zijn eigen geur die het van alle andere gezinnen onderscheidt, denk aan alle gezichten en stemmen, het ongestemde koor van het flatgebouw, kijk eens naar hun lichamen, hun kleren en hun bewegingen als ze met opgerolde hemdsmouwen zitten te eten en ruzie te maken of te lachen of janken of hun kop te houden en tweeëndertig keer aan elke kant te kauwen. Wat kan een Jaguar daar tegenover stellen? Een pistool in het handschoenenvakje? In het gunstigste geval. Ik heb veel aan die auto gedacht, te veel waarschijnlijk, hij was flessengroen.

'Maar daar komt de lijm natuurlijk nog wel bij,' ging mevrouw Syversen verder, alsof ze plotseling vond dat dit te gemakkelijk ging.

'Nee hoor,' werd ze onderbroken door meneer Syversen, die nu opeens Frank bleek te heten.

'Waar heb je het over, Frank?' zei mevrouw Syversen namelijk bits. Ze pakte hem de bonnetjes af en begon die met een kritische blik te bestuderen door een pikzwarte, zeshoekige bril die ze met veel moeite had kunnen vinden tussen de lichtblauwe porseleinen poppetjes en de ovale tinnen asbakken die alle planken bevolkten waar volgens mij boeken hadden moeten staan – hadden ze geen boeken in dit huis? Frank haalde onverschillig zijn schouders op, glimlachte tegen mijn moeder, legde een loodzware knuist op mijn kortgeknipte hoofd en zei:

'Zo, Finn, dus jij bent de baas in huis?'

Een opmerking die denk ik werd ingegeven door het feit dat ik groene verf op mijn gezicht en vingers en in mijn haar had en dat het er waarschijnlijk uitzag alsof ik me als een kerel inspande om onze twee levens op de rails te houden.

'Ja, hij is zo flink,' zei mijn moeder met een barstje in haar stembanden. 'Ik zou niet weten wat ik zonder hem moest.'

Wat een zin was die ik erg graag hoorde, want er was in die tijd niet veel voor nodig om mijn moeder van haar stuk te brengen, ook al woonden we in een huis van gewapend beton met zwaluwnesten op zolder en buren die rustig op hun balkonnetjes koffie zaten te drinken of die urenlang met hun hoofd onder een motorkap stonden; ik kon beter lezen en schrijven dan de meeste kinderen en ze kreeg keurig elke veertien dagen haar loon uitbetaald, ja, ook al gebeurde er hier eigenlijk nooit iets, het was alsof we voortdurend werden omring door gevaren waar we godzijdank op het nippertje aan ontsnapten, voor zolang het duurde, om met mijn moeder te spreken, want wat niet gebeurt, daar leer je ook niks van.

'Weet je, ik ben niet zo sterk meer,' mompelde ze als er iets aan de hand was en dan verwees ze – ook al vroeg ik er nooit naar en zei zij er nooit iets over – naar haar scheiding die haar blijkbaar had overvallen als een steenlawine en die slechts de inleiding was geweest tot de rest van een serie korte hoofdstukken in een soort eeuwigdurende ellende. Want al was dit de tijd van Joeri Gagarin, het was absoluut niet de tijd van de echtscheidingen, dit was de tijd van het huwelijk en al een jaar na de scheiding ging hij ook nog eens van ons heen, zoals mijn moeder het noemde, door een arbeidsongeval. Mijn vader, omgekomen tijdens een ongeluk met een kraan op de scheepswerf van Akers Mek. Ik herinner me noch hem, noch de scheiding of het ongeluk, maar mijn moeder herinnert het zich voor ons allebei, ook al weet ik dus nooit iets concreets uit haar te krijgen, bijvoorbeeld hoe hij eruitzag of wat hij graag of niet graag deed in zijn vrije tijd, als hij die al had, waar hij vandaan kwam of waar ze het over hadden in de gelukkige jaren die ze naar ik aanneem moeten hebben gehad terwijl ze op mij wachtten; ik mag zelfs haar foto's niet zien, het is met andere woorden een tijd die we achter ons hebben gelaten.

In het kielzog van die twee ongelukken volgde er nog een, die iets met een weduwepensioen te maken had; voordat hij naar beneden donderde had mijn vader namelijk kans gezien te hertrouwen en nog een kind te maken – een meisje van wie we niet eens de naam wisten – zodat er dus ergens nog een weduwe was, die nu het geld opstreek dat mijn moeder en ik hadden horen te krijgen en die dat verbraste aan de toto, taxi's en permanentjes.

'Nou, ik snap niet waar die zijn gebleven,' zei mevrouw Syversen gelaten terwijl ze met de bonnetjes van het behang zonder de lijm wapperde. Maar nu kon mijn moeder in elk geval de zaak afronden met haar simpele: 'Ja, ja, we zullen er eens over nadenken.' Ze zond een laatste glimlach naar de meisjes die zwijgend naar ons terugstaarden, met open monden en drie grote melksnorren.

'Bedankt dat we even mochten komen kijken, het is echt prachtig.'

2

De volgende dag waren we al in het winkelcentrum van Årvoll om naar behang te kijken. En dat is tamelijk opzienbarend, want mijn moeder wordt niet alleen omringd door gevaren, ze heeft ook veel tijd nodig om na te denken; de groene verf waar we net ons geld aan hadden verspild was bijvoorbeeld geen ondoordachte gril geweest, maar het resultaat van moeizaam denkwerk dat sinds vorig jaar kerst had plaatsgevonden, toen we voor koffie en taart waren uitgenodigd bij een ouder echtpaar op de begane grond waar alle wanden een andere kleur hadden dan de onze en die ze zelf bleken te hebben geverfd, met een kwast.

Een andere keer was ze binnen geweest bij een vriendje van mij dat Essi heette, toen ze me daar kwam ophalen. Zijn vader had de deur naar het kleinste slaapkamertje van de woonkamer naar de hal verplaatst, zodat Essi's grote zus, die zestien was, vanuit de hal een eigen ingang had. En het was alsof al die waarnemingen – gecombineerd met het feit dat de winkel waarin we stonden een sfeer uitwasemde van toekomst, mogelijkheden en vernieuwing; ja, tussen de blikken verf en de blauwe stofjassen heersten een properheid en een optimisme die zelfs een berg hadden kunnen verplaatsen – nu op hun plek vielen en er maar één conclusie mogelijk was: 'Tja,' zei mijn moeder. 'Dan moeten we misschien toch maar een huurder nemen. Er zit niks anders op.'

Ik keek verbaasd naar haar op, we hadden het hier namelijk vaker over gehad en hadden volgens mij ook een soort afspraak gemaakt dat we geen huurder zouden nemen, hoe slecht we er financieel ook voor stonden, want dat betekende dat ik mijn kamer, waar ik erg aan gehecht was, op zou moeten geven en bij haar zou moeten slapen.

'Ik kan wel in de woonkamer slapen,' zei ze nog voordat ik mijn mond open had kunnen doen.

Daarom kochten we die middag niet alleen behang en lijm, maar stelden we ook een advertentie op die in ARBEIDERBLADET moest verschijnen, onder het kopje 'huurder gezocht'. Er werd weer contact opgenomen met het grote mannetjesdier Frank; zou Frank, die

overdag een bulldozer bestuurde op de nieuwe bouwplaatsen verderop in Groruddalen, in de avonduren de deur van onze kleinste
slaapkamer naar de hal willen verplaatsen, zodat de huurder niet
ons privéleven binnen hoefde te banjeren als hij of zij thuiskwam
of wegging, of liever, dat wij ervan verschoond zouden blijven dat
een wildvreemde heen en weer liep door onze vers behangen woonkamer?

We gingen met andere woorden een spannende tijd tegemoet.

Het bleek dat Frank geen timmerman was om over naar huis te
schrijven. Het was een enorme herrie tijdens het sloopproces en hij
werkte bovendien in zijn nethemd, hij hijgde en zweette vreselijk en
noemde op de eerste avond mijn moeder al 'moppie'.

'Wat vind jij, moppie, wil je deze deurlijsten weer gebruiken of
zal ik nieuwe regelen?'

'Hangt ervan af wat ze kosten,' zei mijn moeder.

'Voor jou niet veel, moppie, ik heb zo mijn connecties.'

Gelukkig vond mijn moeder het ook geen pretje om voortdurend
moppie genoemd te worden. En mevrouw Syversen viel met geregelde tussenpozen binnen om te roepen dat het etenstijd was of om
te melden dat de vuilniswagen laat was vandaag. Ik moet toegeven
dat ik zelf ook goed oplette, want mijn moeder had lippenstift op en
deed elke keer haar krulspelden uit voordat Frank kwam werken,
ik had bijna geen tijd om buiten te spelen. Af en toe stuurde mevrouw Syversen ook haar oudste dochter, Anne-Berit, en dan stonden we samen te kijken naar de kolossale man die worstelde met
grote deurpanelen en platen fineer en die zwart haar op zijn schouders en rug had dat als overwinterende graspollen door de gaten van
zijn verwassen nethemd piepte, dat meer op een visnet leek dan op
een kledingstuk, en die tussen de bedrijven door op plagerige toon
'Hamer!', 'Spijker!', 'Duimstok!' kreunde, zodat wij zijn hulpjes
konden zijn, wat geweldig was. Maar toen na een dikke week de
deur eindelijk op zijn plek zat en de andere deuropening was dicht-
gemaakt, met nieuwe deurlijsten en de hele mikmak, en het op betalen aankwam, wilde Frank niks hebben.

'Ben je gek,' zei mijn moeder.

'Maar misschien heb je een borrel voor me, moppie?' vroeg hij zacht, alsof ze vanwege de geslaagde actie samen een geheim hadden. Het maakte niet uit dat mijn moeder stond te drentelen met een open portemonnee en twee, drie blauwe vijfjes tussen haar gelakte nagels hield alsof ze er genoeg had; hij hoefde er maar om te vragen, maar Frank was en bleef een gentleman, dus kreeg hij in plaats van geld twee glaasjes Blue Curaçao.

'Op één been je kun je niet lopen.'

Maar toen waren we ook van hem af en kon het behangen beginnen.

Dat bleek geen probleem. Mijn moeder weer op een keukenstoel onder het plafond en ik beneden op de vloer. De muur waar we een hele week over gedaan hadden om hem te schilderen, was in de loop van één avond behangen. Daarna hadden we twee avonden nodig voor al het gepriegel rond de balkondeur en het grote raam van de woonkamer, en nog een avond voor de muur die grensde aan mijn kamer die nu verhuurd zou worden. De verandering was voelbaar en tastbaar, die was explosief, oorverdovend. We waren weliswaar niet overgegaan tot de aanschaf van een jungle, mijn moeder wilde iets discreters, maar we bleven toch ruim binnen het botanische genre met kronkelende sierranden en bloemen, als goudbruin struikgewas in de herfst. En toen er de dag daarop al twee mensen kwamen om naar de kamer te kijken, was de zaak aan het rollen.

Nee, dat was ie niet.

Met beide mensen die kwamen kijken was iets mis. Daarna kwam er een derde, maar die vond dat er iets mis was met de kamer. Mijn moeder was een beetje uit het lood geslagen door deze tegenvallers. Was de huur te hoog? Of te laag? Eerder had ze het er al over gehad dat we misschien uit Årvoll moesten verhuizen, iets simpelers moesten zoeken, misschien in de wijk Øvre Foss, waar ze eerder had gewoond met haar man, waar mensen nog tevreden waren met één kamer en een keuken. Maar vervolgens kwam er een brief met een hoekig handschrift van ene Ingrid Olaussen die drieëndertig jaar en alleenstaand was, zoals ze schreef en die de kamer graag komende vrijdag wilde bezichtigen, als dat schikte?

'Ja, ja,' zei mijn moeder.

Maar toen ik de volgende dag met Anne-Berit en Essi uit school kwam, was ze geheel onverwacht verdwenen.

Dat was me nog nooit overkomen.

Een dichte deur. Die niet openging toen ik aanbelde, steeds maar weer. Ik was behoorlijk van de kaart. Essi nam me mee naar zijn huis, waar zijn moeder, een van de weinige moeders op wie ik kon vertrouwen naast mijn eigen moeder, me troostte door te zeggen dat ze vast alleen maar boodschappen aan het doen was, dat zou ik straks wel zien; ik kon ondertussen hier mijn huiswerk maken, met Essi, die op zijn zachtst gezegd wel wat hulp kon gebruiken in zijn worsteling met de letters en hij was ook al geen ster in rekenen.

'Jij bent zo flink, Finn.'

O ja, ik redde me wel, dat was een onderdeel van het contract tussen mijn moeder en mij, het delicate evenwicht in een gezin van twee mensen. Van Essi's moeder kreeg ik boterhammen met cervelaatworst, wat ik normaal gesproken erg kan waarderen, maar nu kreeg ik geen hap door mijn keel; dat is zo vreemd, als je eenmaal een moeder hebt gehad, dan is het niet niks als ze verdwijnt. Ik zat naast Essi achter zijn bureautje met een potlood in mijn hand en voelde me een wees, ik kreeg geen letter op papier. Dit was helemaal niks voor haar. Nu was er al een uur voorbij, zo leek het althans, maar er waren nog geen veertien minuten verstreken. Pas toen er bijna twee uur voorbij waren, hoorden we buiten gerammel, wat de uitlaat bleek te zijn van een aftandse vrachtwagen die probeerde achteruit het pad voor de flat op te rijden. Toen zag ik ook mijn moeder die in haar lange schoenenwinkelbloemetjesjurk uit de cabine sprong en naar de ingang holde. Op de wijnrode autoportieren stond met goudgerand schoonschrift STORSTEIN MEUBELS & INRICHTING geschreven. Een grote man in een overall klapte de zijkanten van de laadbak neer, er sprong nog een man uit en samen onthulden ze een sofa, een moderne slaapbank met beige, gele en bruine strepen, een sofa die mijn moeder dus had aangeschaft op de flinterdunne basis van een brief van ene Ingrid Olaussen. Ze trokken hem van de laadbak en manoeuvreerden hem in de richting van de voordeur.

Tegen die tijd had ik mijn schooltas al op mijn rug en rende in volle vaart de trappen af, het grasveld over en weer de trappen op, achter het onhandelbare meubelstuk aan dat de twee vloekende mannen slechts met de grootste moeite naar tweehoog wisten te krijgen en de deur door die voor het eerst van mijn leven een eeuwigheid gesloten was geweest.

Binnen stond mijn moeder met een wanhopig, gespannen gezicht dat niet bepaald vrolijker werd toen ze mij in het oog kreeg, waarschijnlijk vanwege mijn ellendige toestand en ze begon zich meteen te verontschuldigen – het had zo lang geduurd in de winkel. Maar er zat weinig kracht in haar troost en toen ze een papier had ondertekend en de nieuwe bank tegen de wand van de kamer stond waar we voorheen geen meubel hadden staan, maar waar hij in wezen heel goed paste, moest ze er even op gaan liggen. Ik ook. Ik ging naast haar liggen en snoof haar geuren op en voelde haar armen om me heen terwijl ik meteen in slaap viel – viooltjes, haarlak, schoenleer en eau de cologne van 4711. Ik werd pas twee uur later wakker onder een plaid terwijl mijn moeder in de keuken eten aan het maken was, neuriënd, als altijd. Het werd vandaag geen echt avondeten, het werd gebakken eieren met spek, meer een soort avondboterham, maar daar kan eigenlijk geen ander eten tegenop. En tijdens de maaltijd legde ze me uit dat er iets bestond wat krediet heette, wat er kort samengevat op neerkwam dat je niet hoefde te sparen vóór je iets kocht, maar dat je dat achteraf kon doen, wat weer betekende dat we waarschijnlijk ook niet zo lang hoefden te wachten tot wij ook konden overgaan tot de aanschaf van zo'n boekenkast, om nog maar te zwijgen van een exemplaar van het televisietoestel dat langzaamaan de woningen om ons heen veroverde, zodat ik niet elke keer als er iets te missen viel naar Essi hoefde te rennen.

Dat waren natuurlijk aantrekkelijke vooruitzichten. Maar er was die avond iets aan haar wat me een beetje zorgen baarde, alsof er iets in haar gebroken was, iets wat haar stille, vertrouwde manier van doen had meegenomen en ik – die net een traumatische ervaring achter de rug had – sliep die nacht niet zo goed als anders.

De volgende dag ging ik meteen uit school naar huis, en toen was ze op haar post, mijn moeder stond klaar om Ingrid Olaussen te ontvangen en begon mij meteen voor te bereiden met een rits vermaningen alsof we examen moesten doen, volkomen onnodig uiteraard, want als er iets was wat ik had begrepen, dan was het wel de ernst van de zaak.

'Is er iets?' vroeg ik.

'Hoe bedoel je?' zei ze en liep weg om zichzelf in de spiegel te bekijken, kwam terug en vroeg zuur: 'Je gaat toch geen gekke dingen doen, hè?'

Ik begreep niet eens waar ze het over had. Een paar seconden later was ze weer zichzelf, ze keek schuin en vol medelijden op me neer en zei dat ze begreep dat dit niet gemakkelijk voor mij was, maar er was geen andere mogelijkheid, snapte ik dat?

Dat snapte ik.

We waren het eens.

Ingrid Olaussen verscheen een half uur na de afgesproken tijd en bleek te werken in de kapsalon op de Lofthusvei en zo zag ze er ook uit, als een twintigjarige, ook al was ze dus van mijn moeders leeftijd. Ze had hoog roestrood haar met daarbovenop een klein grijs hoedje, versierd met een parelrand van kleine zwarte druppels, het zag eruit alsof het hoedje huilde. Ze rookte bovendien filtersigaretten en niet alleen haar handschrift was hoekig, ze presteerde het namelijk te zeggen toen ze een blik op de kamer wierp: 'Eenvoudige inrichting, ja. Dat had toch eigenlijk in de advertentie moeten staan?'

Ik wist niet wat dat betekende, maar mijn moeders gezicht doorliep drie, vier welbekende stadia voordat ze er uitflapte dat het gemakkelijk praten was voor iemand die geen idee had wat een advertentie in de krant kostte.

Na deze informatie nam Ingrid Olaussen alleen maar een lange trek van haar sigaret en keek om zich heen naar een asbak. Maar die werd haar niet aangeboden. Mijn moeder wilde nu namelijk de zaak afhandelen en zei dat we ons eerlijk gezegd hadden bedacht, we hadden de kamer zelf nodig.

'Het spijt me dat u voor niets bent gekomen.'

Ze deed zelfs de voordeur voor haar open. Maar toen zag Ingrid Olaussen er opeens diep ongelukkig uit. Haar welgekapte hoofd zakte langzaam maar zeker op haar borst en haar lange slungelige lichaam begon te wankelen.

'Allemachtig, voelt u zich niet goed?'

Mijn moeder pakte haar mouw beet en trok haar mee naar de woonkamer, zette haar op de nieuwe bank en vroeg of ze een glas water wilde hebben of een kopje koffie.

Toen gebeurde er iets nog onbegrijpelijkers. Ingrid Olaussen wilde graag een kop koffie hebben, o ja, maar voordat mijn moeder de ketel had kunnen pakken, vlocht ze haar lange slanke vingers in elkaar alsof ze twee eindjes touw aan elkaar wilde knopen en begon ze snel en staccato over haar werk te praten, over de veeleisende klanten, voor zover ik het begreep, die haar voortdurend op de nek zaten met alle mogelijke kritiek en over de neerbuigende eigenaar, maar ook over iets waardoor mijn moeder als een blad aan de boom omsloeg en me naar de slaapkamer joeg voordat ik begreep waar het over ging.

Door de deur heen hoorde ik praten en fanatiek gemompel en iets wat op huilen leek. Na een poosje klonk het alsof ze het ergens over eens werden, er klonk zelfs wat verweesd gelach. En toen mijn moeder eindelijk de deur opendeed, dacht ik dat ze boezemvriendinnen waren geworden. Maar het bleek dat Ingrid Olaussen alweer verdwenen was terwijl mijn moeder peinzender dan ooit aan het avondeten begon.

'Komt ze hier niet wonen?'

'Nee, dat kan ik je beloven,' antwoordde ze. 'Ze heeft geen cent te makken. En haar leven is een puinhoop. Ze heet ook geen Ingrid Olaussen …'

Ik wilde vragen hoe mijn moeder dat allemaal wist. Of waarom een wildvreemde zó haar hart bij haar uitstortte. Maar in het halfuur dat ik in mijn kamer had gestaan was ik bekropen door een merkwaardig gevoel van onbehagen en het antwoord op beide vragen moest ofwel zijn dat mijn moeder haar van vroeger kende, of dat ze zichzelf in haar herkende. En ik wilde geen van beide bevestigd zien, concentreerde me in plaats daarvan op het eten, maar bleef toch zitten met een bijna tastbaar gevoel dat mijn moeder kanten had die ik niet goed kende – niet alleen het feit dat ze de dag ervoor plotseling verstek had laten gaan, daar was tenslotte een verklaring voor, een bank, maar ook dat een wildvreemde kon binnenstappen in onze vroeger zo duffe, maar nu veel te opgeknapte woning, instortte op de pasgekochte bank en al haar geheimen spuide, om vervolgens weer de deur uitgewerkt te worden: ik werd geconfronteerd met een raadsel dat niet alleen onoplosbaar was, maar dat vragen opriep die ik ook misschien wel niet beantwoord wílde hebben.

Ik bleef steels naar haar zitten kijken, naar mijn nerveuze en bang-in-het-donkerige, maar doorgaans toch zo stabiele en onverwoestbare moeder, mijn rots op aarde en mijn olifant in de hemel, nu met een gezicht dat ik nauwelijks herkende.

3

Het huurdersproject werd gelukkig een paar weken in de wacht gezet, alsof mijn moeder bang was een nieuw mysterie aan de deur
te krijgen. Maar we waren zoals gezegd een overeenkomst aangegaan om achteraf te sparen, dus konden we niets anders doen dan
weer een advertentie in ARBEIDERBLADET te zetten, van vijftig øre
per woord. Ze was nog steeds prikkelbaar en afwezig; ik kreeg het
verkeerde beleg op mijn boterhammen, ze luisterde niet als ik iets
vertelde en raakte de draad kwijt als ze 's avonds voorlas.

'Jij kunt nu beter lezen dan ik,' verdedigde ze zich toen ik protesteerde. Maar dáár had ik geen lezen voor geleerd, we hadden een
stapel boeken die we samen zouden lezen, kinderboeken en Margit
Söderholm en de Jalna-serie, een encyclopedie die *Heimskringla*
heette, kapitein Marryats Peter Simpel plus één boek van mijn vader, *De onbekende soldaat*, dat we nog niet hadden gelezen en dat
we volgens mijn moeder ook niet van plan waren te lezen, allemaal
in de slaapkamer in een doos gepropt in afwachting van de boekenkast die we op krediet zouden kopen zodra we die ellendige huurder
wisten te strikken. En toen ze weer een keer niet luisterde kreeg ik
plotseling het gevoel dat ik een ander was geworden. Het was geen
duidelijk, concreet gevoel, maar toch hardnekkig genoeg om te vragen: 'Tegen wie heb je het nu, tegen mij of tegen hem daar?'

Dat viel niet in goede aarde.

'Wat bedoel je?' zei ze geërgerd en stak een tirade af dat ze af
en toe echt niks van mij begreep, iets waar ze het al een paar keer
eerder over had gehad, misschien kwam het doordat ik een jongen
was en ze dacht dat het met een dochter gemakkelijker geweest zou
zijn.

'Ik snap niet waar je het over hebt,' zei ik chagrijnig en ik liep
naar de kamer die nog steeds van mij was, ging op bed liggen om
in mijn eentje te lezen, een Jukan-stripblad. Maar het ging zoals het
altijd gaat met lezen-uit-protest, ik kon me niet concentreren, werd
alleen nog maar bozer. Ik lag met mijn kleren aan op bed en vroeg
me af hoelang een kleine jongen zou moeten liggen wachten tot zijn

moeder haar verstand weer zou terugkrijgen en hem op het hart zou drukken dat alles nog bij het oude was, ondanks het feit dat Joeri Gagarin ons allemaal in de lucht geblazen had. Meestal duurde dat niet lang, niet bij ons thuis tenminste, maar voor het zover was viel ik ondanks mijn woede wonderlijk genoeg in slaap.

Ik ontdekte de volgende ochtend pas dat ze bij me was geweest, omdat ik in mijn pyjama onder het dekbed lag. Ik stond op, kleedde me aan en liep naar de keuken. We ontbeten zoals altijd en lachten om de een of andere sukkel op de radio die woorden zei als bariton en Oe Thant. Maar ze had nog steeds iets irritants afwezigs, waardoor we er niet in slaagden ons helemaal te verzoenen, dat voelde ik toen ik de deur aan de overkant van de gang hoorde, waarna ik mijn peau de pêche-jasje aantrok en mijn schooltas op mijn rug deed om samen met Anne-Berit naar school te slenteren.

Misschien was ik dus toch een ander geworden?

Anne-Berit was echter dezelfde. Ik ken geen mens die zó elke gelegenheid aangreep om zichzelf te zijn, mooi, zelfverzekerd en fantasieloos; er was geen spoortje van haar reusachtige ouders in haar terug te vinden, ze verzon nooit iets leuks om te doen en ze lachte nooit voor ze zeker wist dat er ook echt iets te lachen viel, en dat was in de regel niet het geval. Maar dat was deze ochtend allemaal prima, tot op zekere hoogte, want terwijl ik meestal degene ben die praat, zeiden we nu geen van beiden iets en de stilte werd allengs zo beklemmend dat ze vroeg: 'Wat is er met jou aan de hand?'

Daar had ik nog steeds niet echt een antwoord op, dus liepen we gewoon verder over de grijze modderpaden van het Muselunden-park die volgens mijn moeder en mevrouw Syversen veel veiliger waren dan de trottoirs langs de Trondhjemsvei, ook al bivakkeerden hier zwervers op de helling boven de weg, in kleine, gammele hutjes die in de zwarte, bladerloze wildernis van de late herfst van alle kanten goed zichtbaar waren en die op wrakstukken van bloederige vliegrampen leken. Er woonden een paar enge mannen, die we Geel, Rood en Blauw noemden, omdat Geel aan een ziekte leed die hem geel maakte, omdat Rood altijd een roodaangelopen gezicht had en Blauw zwart was als een zigeuner, die wij taters noemden. Je moest absoluut niet hun hutten binnengaan als ze je riepen, want dan zouden ze je in een vleesmolen gooien en je tot dunne, bruine soep vermalen en bouillonblokjes van je maken. Maar vandaag was dat geen probleem, ze lieten zich niet eens zien en daardoor gaven ze me ook niks om over te praten terwijl ik juist zin had om kwaad op iemand te worden.

'Goh, wat ben jij saai,' zei ik tegen Anne-Berit toen we het schoolplein opliepen. Daar antwoordde ze alleen maar op met: 'Flapdrol.' Dat was geen alledaagse uitspraak uit haar mond, ook al paste hij bij haar karakter, dus namen we afscheid als vijanden, zij op weg naar haar meisjesklas, ik naar de gemengde klas die in het leven was geroepen om vast te stellen of jongens en meisjes naast elkaar konden zitten en toch iets konden leren.

Het was fijn om in de gemengde klas te zitten, al gingen de mooiste meisjes naar de meisjesklas, het is immers vaak zo dat hoe beter je mensen leert kennen, hoe meer fouten je ziet. Maar hier kon ik mijn blik laten rusten op het vlammend zwarte haar van Tanja, die ik nog steeds erg mysterieus vond omdat ze nooit iets zei en vragen beantwoordde met een stemvolume dat zelfs juf Henriksen niet meer probeerde op te schroeven. Maar ze draaide zich elke keer dat ik iets zei wel om en wierp me glimlachjes toe die maakten dat ik eigenlijk niet meer verder hoefde te leven; er werd gezegd dat ze bij de Roma hoorde en dat ze in een circuswagen bij de botanische tuin in Tøyen woonde. Dat maakte de zaak er niet eenvoudiger op, want wat is er nou verleidelijker dan een volk dat met gitaren de hele aardbol rondreist en steelt en draaimolens laat draaien?

Daarom was het nu al zover dat ik vooral mijn vinger opstak om ervoor te zorgen dat Tanja zich omdraaide, iets wat ik vandaag ook probeerde, bovendien wilde ik af van al die bagger die nog steeds door mijn hoofd spookte. Maar in plaats van de blits te maken met een grappige opmerking ontdekte ik te laat dat ik deze keer mijn huiswerk niet had gemaakt en barstte ik uit in een vreselijke en onbegrijpelijke huilbui. Toen ik eenmaal begonnen was, kon ik er ook niet meer mee ophouden, ik lag als een clown met mijn hoofd op mijn tafeltje en jankte onbedaarlijk, me er merkwaardig genoeg toen al volkomen van bewust dat dit me duur zou komen te staan en dat maakte de zaak er ook al niet beter op.

'Maar jongen toch, Finn, wat is er?'

'Ik weet het niet!' schreeuwde ik, naar waarheid, overigens een antwoord waar ik best tevreden over was, want stel dat ik de waarheid eruit had geflapt: 'Er is iets met mijn moeder!'

De juf trok me mee naar de gang en wist me zover te kalmeren dat ik begreep wat ze zei: ze wilde me met een brief naar huis sturen om zich ervan te vergewissen dat alles in orde was. Maar daar protesteerde ik zo fel tegen – met een nieuwe stroom tranen – dat ze weer moest wachten tot ik me vermand had terwijl ik met mijn rug langs de muur naar beneden zakte en naar de verlaten gang staarde die als twee druppels water op de gang van een ziekenhuis leek waar alle kinderen geruisloos lachen en de doden al vleugels hebben gekregen, tot juf Henriksen, met wie ik normaal gesproken een goede relatie had, plotseling vroeg: 'Heb je iets gezién?'

Ik schrok op.

'Wat gezien?'

'Nee, nee, ik dacht alleen dat je misschien iets zou kunnen hebben ... gezien.'

'Wát gezien?' riep ik terwijl de afgrond onder mij nog gapender werd, want nu was niet alleen mijn moeder afwezig en anders geworden, misschien was ik me er bovendien al van bewust geweest en had ik het allemaal kunnen voorzien. 'Ik heb geen bal gezien!' brulde ik.

'Rustig maar, Finn,' zei juf Henriksen, nu niet meer zo troostend, eerder vrij lusteloos. En plotseling kwamen er herinneringen in me boven, of woorden; mijn moeder en ik verzamelden woorden, lachten erom en vonden ze mooi of stom of overbodig, woorden die zo werkelijk waren dat je ze kon aanraken, woorden zoals: beton, uitlaatgassen, bezem, benzine, leer, schoenleer ... Ik zakte weg in een blauwe droom; ik wilde op mijn nieuwe sleetje sleeën en ik huilde en zeurde tot mijn moeder mijn hand vastpakte en me hardhandig meetrok naar de sleehelling die vanaf de Trondhjemsvei naar de akkers liep; die helling was nu echter niet meer een kronkelende rivier van helder glas, maar een bruin modderspoor, als van een gestolde bloedneus in een kapotgeslagen gezicht.

'Snap je het nou!' riep ze zodat het in mijn oren schetterde. 'De winter is voorbij! Het is lente!'

'Zullen we weer naar binnen gaan?' vroeg juf Henriksen.

Ik keek op.

'Ja,' zei ik. Ik stond op en probeerde eruit te zien alsof we in de afgelopen minuten een overeenkomst hadden gesloten dat er eigenlijk helemaal niks was gebeurd.

Maar het nieuws van mijn huilbui drong natuurlijk door tot het schoolplein en toen we naar huis liepen was Anne-Berits glimlach niet mis te verstaan. Geel en Blauw waren nu wakker – Rood was nergens te bekennen – en ze zaten voor hun hutten uit blinkende blikjes te drinken en riepen naar ons dat we op bezoek moesten komen, zodat Blauw ons zijn eekhoorn kon laten zien, iets waardoor Anne-Berit met een raar giecheltje dubbelklapte.

'Moordenaars!' riep ik zo hard ik kon. Blauw stond op en bracht de Hitlergroet en brulde iets wat we niet verstonden omdat we de heuvel naar de jeugdherberg op renden alsof ons leven ervan afhing en we deden het pas kalmer aan toen we voorbij de tennisbaan waren, waar ik een paar van mijn vrienden een vuurtje zag stoken en ik vroeg of Anne-Berit mee wilde doen.

Ze bleef staan, keek me aan en zei dat haar moeder het niet fijn vond als haar kleren naar rook stonken en al helemaal niet naar teerpapier, dat ik al genoeg blubber aan mijn laarzen had en nog wat van dat soort flauwekul, abnormaal praatziek voor haar doen, dus ik dacht dat ze mijn hele huilbui vergeten was.

Maar later die avond hoorde ik dat er werd aangebeld en dat mevrouw Syversen binnenkwam en een fluisterend gesprek met mijn moeder voerde, die meteen daarna met haar armen over elkaar in de nieuwe deuropening kwam staan en me bekeek alsof ik een vreemde was terwijl ik weer op bed lag en probeerde te lezen.

'Waar ben jij eigenlijk overdag mee bezig?' vroeg ze zo droog dat ik haar niet zo maar kon negeren. Maar heel veel anders kon ik ook niet doen, dus bleef ik in een Jukan-strip liggen staren, tot de situatie op een loopgravenoorlog begon te lijken – hád ik iets gezien?

Ook nu deed ze niet wat een moeder zou moeten doen om een verloren zoon binnen te halen, in plaats daarvan schudde ze melancholiek met haar krullen en liep weer naar de keuken. Maar ze liet de deuren wel openstaan, de extra deur die Frank erin had gezet en de deur van de woonkamer, zodat ik kon horen dat ze begon af te wassen, wat normaliter mijn taak was, een plicht waar ik niet onderuit kwam terwijl zij afdroogde en opruimde.

Ik smeet het stripblad weg, stond op, liep naar de keuken en duwde haar zachtjes weg van de afwasteil. Maar voor deze ene keer zwaaide en spetterde ik niet met de kwast, met als gevolg dat we daar als een bejaard uitgepraat echtpaar melkglazen, borden en vorken stonden af te wassen en te drogen tot we de grote gouden medaille zouden hebben verdiend voor de langste stilte die ooit in deze flat had geheerst.

Maar voor vandaag had ik genoeg gejankt, voelde ik, dus hield ik mijn gezicht in de plooi tot ik merkte dat ik nu verdorie bijna moest lachen. Op dat moment smeet ik de kwast in het vieze water zodat het in haar gezicht spatte. Ze stoof met een woedende kreet achteruit, maar beheerste zich toen, bleef somber en als een vreemde staan met één hand op haar heup en de andere voor haar ogen, plofte daarna neer op de dichtstbijzijnde keukenstoel en zei met een apathisch gezicht terwijl het zeepsop uit haar haren stroomde: 'Je hebt een zus.'

'Wat?'

'Een halfzus.'

Daar wist ik niet veel op te zeggen. Ik wist immers van die zus, die daarginds ergens het weduwe- en wezenpensioen opstreek dat wij hadden moeten hebben. Maar toen viel het kwartje opeens.

'De kapster?'

'Ja.'

Ja, de kapster, Ingrid Olaussen die trouwens niet Ingrid Olaussen heette, was de moeder van het meisje dat Linda heette en zes jaar was, en ze had onze advertentie in de krant gezien omdat we zo dom waren geweest niet brieven onder nummer te gebruiken, maar onze eigen naam, maar ja, wie denkt daar verdorie nou aan.

'Brieven onder nummer?'

De volgende inlichting kostte haar meer moeite. Mijn moeder moest zich eerst afdrogen. Dat deed ze in de badkamer, lang en omstandig terwijl ik op het voetenbankje, waar ik eigenlijk veel te groot voor was, bleef staan staren naar de afwaskwast die ik in lange trage cirkels in het vale water ronddraaide tot ik duizelig werd. Ze kwam weer naar buiten en had haar make-up verwijderd die zo noodzakelijk was in de schoenenwinkel en zag er nu uit zoals ze er in het weekend altijd uitzag, als we alleen met z'n tweeën waren, dan was ze ook op haar mooist.

'Maar ze kan niet voor haar zorgen,' zei ze en zweeg. En ik moest weer op mijn voetstuk staan tobben en lijden en met de kwast zwaaien voor het vervolg kwam, want ik kon me er nog steeds niet toe zetten iets te vragen. Ze vertelde me heel langzaam en aarzelend, alsof ze een baby medicijnen toediende, dat Ingrid Olaussen niet alleen weduwe was, maar ook een drugsverslaafde, overigens de eerste keer dat ik dat woord hoorde, ze was morfiniste, zo, zo.

'En ik vertel je dit omdat ik weet dat je groot genoeg bent om het te begrijpen,' zei mijn moeder, 'als je er even over nadenkt.'

Maar ... 'Komt ze hier wonen?' Het begon eindelijk tot me door te dringen.

'Dat heb je de hele tijd geweten!' schreeuwde ik, woedend opeens. 'We hebben alles opgeknapt en een aparte ingang gemaakt omdat zij hier komen wonen!'

'Nee, nee,' onderbrak ze me, nu pas op een manier die vertrouwen wekte en dat was hard nodig ook. 'Ze kan niet voor het kind zorgen. Ik ben erachteraan geweest en ... ze wordt naar een weeshuis gestuurd als ze niet ...'

'Dus zíj komt hier wonen?'

Mijn moeder bewoog zich niet, maar toch leek het of ze knikte. 'Nemen we géén huurder?' dramde ik door, wanhopig.

'Jawel ...'

'We krijgen een huurder én een zusje?'

'Mmm.'

'Maar niet de kapster?'

'Ze is geen kapster, Finn! Nee, ze wordt opgenomen voor een ontwenningskuur, ik weet niet ...'

'Dus de kapster komt hier niet wonen!'

'Nee, zeg ik toch. Luister dan ook eens!'

Tien minuten later. Mijn moeder zit op de nieuwe bank met een kop Lipton-thee en ik in de fauteuil met een flesje Solo-sinas, ook al is het midden in de week. We hebben het nu beter dan we het de afgelopen tien minuten hebben gehad. We zitten op dezelfde golflengte. Een nieuwe golflengte, want ik ben nog steeds een ander, ben daar alleen iets meer aan gewend. Dat heeft te maken met mijn moeders plotselinge vertrouwelijkheid, want ook zij is een ander; we zijn twee vreemden die hier verstandig zitten te praten over hoe we een derde vreemde moeten opvangen, een meisje van zes dat Linda heet en de dochter is van een kraandrijver die toevallig ook mijn vader was.

Ik snap dat dit geen gemakkelijke beslissing geweest kan zijn, mijn moeder die in ons vroegere leven nou niet bepaald scheutig was geweest met aardige opmerkingen over deze weduwe en haar kind, maar die nu duidelijk getroffen is door een onwrikbaar richtingsgevoel; solidariteit zullen sommigen het wel noemen, maar wij zijn niet van het aanstellerige type, wij kopen op krediet en zijn ondoorgrondelijk. En in de afgelopen twee weken heeft mijn moeder niet alleen de kosten uitgerekend, vertelt ze me nu, maar heeft ze zichzelf ook afgevraagd wat de mensen zouden zeggen als we haar níét in huis zouden nemen. En hoe zouden wij ons dan voelen? En hoe zou het meisje het krijgen in het weeshuis? Oftewel, zoals ik later in mijn leven zou begrijpen: was het niet veel beter om de weduwe te zijn die deed wat er gedaan moest worden, dan de weduwe die de handdoek in de ring wierp en wegrende van haar verantwoordelijkheden vanwege zoiets idioots als drugsmisbruik, wat nog haar eigen schuld was ook.

Het rook domweg naar een overwinning voor mijn moeder, op dat mens dat ervandoor was gegaan met haar kraandrijver en die er misschien ook indirect de oorzaak van was dat hij naar beneden was gevallen, de man die voor mijn moeder nog steeds zo'n pijnlijke herinnering was dat zijn foto's in een afgesloten lade moesten worden begraven.

Daardoor begon ik ook te piekeren over de vraag die nog niet beantwoord was, over het weduwe- en wezenpensioen.

'Nee, daar krijgen wij niks van te zien,' zei mijn moeder, duidelijk voorbereid, maar met een barstje in haar stem. 'Ik ben niet van plan haar te adopteren. En …'

Maar daar wil ik het eigenlijk niet over hebben. Ik wil weten of mijn moeder door deze nieuwe taak eindelijk haar kans schoon heeft gezien om haar dochterwens te vervullen. Maar dan bedenk ik me en houd mijn mond, waarschijnlijk om ons nieuwe evenwicht niet te verstoren. Ik drink mijn Solo op en ga naar mijn kamer om huiswerk te maken, met de deuren open, zodat we elkaar kunnen horen: mijn moeders scharrelende geluiden in de woonkamer en de keuken, de radio met avondsonates en visserijberichten die betekenen dat het tegen bedtijd loopt. Ik kauw op mijn potlood en kijk naar de flat waar Essi woont, tuur naar het licht in zijn kamer dat op dit moment wordt uitgedaan, net als de lichten in de kamers van al mijn vrienden, Hansa en Roger, Greger en Vatten, het buurtje knijpt het ene na het andere oog dicht terwijl ik voor het rijtje Matchbox-autootjes op mijn vensterbank zit en om de een of andere reden uitkijk naar wat me twee weken geleden nog een ramp geleken zou hebben: een zusje, een klein zusje.

4

Maar eerst moest de huurder er komen, onze nieuwe bron van in-
komsten. En dat was nog steeds geen sinecure. We ontvingen drie
keer bezoek in de loop van evenzovele dagen; mijn moeder serveerde
koffie en koekjes aan een jonge vrouw die als twee druppels water
op Doris Day leek, maar die, toen ze even ontspande en glimlachte,
achter haar bloedrode lippenstift twee rotte tanden liet zien, waarna
de onderhandelingen stokten.

We kregen bezoek van een oudere man die naar sterkedrank en
iets onbestemds weeïgs rook en die niets over zichzelf kon vertellen
en dus werd ook hij de deur weer uitgewerkt, al wapperde hij met
meer briefjes van honderd dan ik ooit had gezien.

Daarna kwam er weer een man, met lange jas en hoed, een wat
vage, maar aardige vent die rook naar aftershave, van hetzelfde
merk als waar Frank zondags altijd in rondliep en die volgens
Anne-Berit Aqua Velva heette en die je ook kon drinken, in geval
van nood. Hij had rustige, heldere en kleurloze ogen die niet alleen mijn moeder, maar ook mij met een zekere nieuwsgierigheid
bestudeerden. Hij was zeeman geweest, vertelde hij, maar had af-
gemonsterd. Hij werkte nu in de lucratieve bouwbranche en had
een tussenstation nodig tot hij een eigen plek had gevonden.

Geen van ons had ooit van het woord 'tussenstation' gehoord,
net zomin als van 'een eigen plek'. Maar de man had iets moderns
en vertrouwenwekkends, alsof hij een opleiding had genoten, beweerde mijn moeder achteraf. Maar eigenlijk leek hij gewoon normaal, of zoals we ons een huurder hadden voorgesteld, behalve
dan dat hij een hoed en een lange jas droeg, als een filmster. Wat
echter de doorslag gaf was waarschijnlijk de volgende opmerking,
toen hij in de nieuwe deuropening stond en naar mijn bureautje
met alle strips en de Matchbox-autootjes keek en hij langzaam
knikte: 'Gezellig.'

'Ja, vindt u niet ..?'

'Maar geen plek voor mijn televisie, zie ik.'

'Ach, u hebt een televisie,' zei mijn moeder, alsof het normaal was om een televisie te hebben als je niet eens een huis had. 'Die moeten we dan maar in de woonkamer zetten,' zei ze met een koket knikje, waarop hij haar glimlach beantwoordde met een simpel: 'Ja, natuurlijk, ik kijk toch niet zo vaak.'

Daarmee was de zaak min of meer beklonken.

Hij heette Kristian en trok de zaterdag erop bij ons in. Toen was ik al verkast naar de kamer van mijn moeder, die meteen niet meer goed wist wat ze met de situatie aan moest. Na enig wikken en wegen betrok zij uiteindelijk ook een tussenstation, in haar eigen slaapkamer. Ze bleef dus waar ze altijd geweest was, de kamer waar we overigens ook druk bezig waren met de voorbereidingen voor de komst van ons nieuwe gezinslid, Linda van zes.

'Dit moet wel vreemd voor jou zijn, dit allemaal,' zei ze terwijl ze me meelevend aankeek.

Nee, ik vond het niet vreemd, nu had ik vrij uitzicht op de flats aan de andere kant en ook daar had ik genoeg vrienden. We bevonden ons bovendien in de gelukkige situatie dat mijn bed eigenlijk een stapelbed was dat mijn moeder drie jaar geleden goedkoop op de kop had getikt en in tweeën had gesplitst. Deel twee stond op de zolderberging. We hoefden het alleen maar naar beneden te halen en op mijn bed te monteren, een simpele operatie waarbij we niet eens de hulp van Frank nodig hadden.

Maar er was nog iets wat mijn moeder zorgen baarde en dat was de televisie, die inderdaad in de woonkamer was beland en daar maar wat stond en nooit werd aangezet, want nadat Kristian bij ons was ingetrokken zagen we hem een poosje nauwelijks, we zagen alleen zijn overjas en zijn hoed die op de aangewezen plek in de hal hingen, naast de twee mantels van mijn moeder en mijn peau de pêche-jasjes. Hij had ook niet gevraagd of de kamer met gebruik van keuken was, dat was ook niet zo, hij was met gebruik van wc en badkamer, één keer per week de badkuip. Hij zou wel buiten de deur eten of hij had gedroogd voedsel op zijn kamer, als hij er überhaupt al was, er was namelijk geen geluid te horen. Op een avond vond mijn moeder het welletjes. Ze liep naar de hal en klopte aan.

'Kom binnen,' hoorden we. We kwamen binnen. En daar zat

Kristian muisstil in een wijnrode fauteuil een krant te lezen die ik nog nooit had gezien.

'Wilt u niet een keer televisiekijken?' vroeg mijn moeder.

'Kijken jullie maar, dat hele ding interesseert me eigenlijk geen reet.'

Ik wist dat dat soort taalgebruik mijn moeder nerveus maakte. Daar was ze niet van gediend.

'Hebt u al gegeten?' vroeg ze bits.

'Ik bik nooit na vijf uur,' zei Kristian op dezelfde vlakke toon en nog steeds in de krant kijkend.

'Wat zegt u me nou?' zei mijn moeder. 'Kom een avondboterham met ons mee-eten.'

Toen deed Kristian ongeveer hetzelfde als wat ik altijd doe als ze zo'n bui heeft, hij stond met een vermoeide glimlach op en bedankte haar.

'Maar het moet geen gewoonte worden,' voegde hij eraan toe toen we zijn kamer uit liepen.

'Ik zou maar geen valse hoop krijgen, als ik u was,' repliceerde mijn moeder, opgelucht dat de zin met 'geen reet' duidelijk een eenmalige gebeurtenis was geweest. 'Gaat u hier maar zitten.'

'Als jij ophoudt me "u" te noemen,' zei Kristian terwijl hij aan het einde van de tafel plaatsnam, waar nog nooit iemand had gezeten. 'Dat past niet.'

'O?' zei mijn moeder terwijl ze een volkorenbrood in dunnere sneetjes sneed dan normaal.

'Nee, wij zijn toch arbeiders.'

Dat was een merkwaardige redenering. Maar ik was het wel met Kristian eens, het taalgebruik dat mijn moeder zich elke keer dat we in aanraking kwamen met de buitenwereld aanmat en dat zo noodzakelijk was in de schoenenwinkel, dat hoorde eigenlijk nergens anders thuis dan daar.

'En wat gaat deze jongeman worden?' vroeg hij mij.

'Schrijver,' zei ik snel en mijn moeder begon te lachen.

'Hij weet niet eens wat dat is.'

'Ach, maar misschien is dat wel een voordeel,' zei Kristian.

'O?' zei mijn moeder weer.

'Ja, het is een veeleisend beroep,' zei Kristian en het leek bijna of hij wist waar hij het over had. Mijn moeder en ik keken elkaar aan.
'Heb jij *De onbekende soldaat* gelezen?' vroeg ik.
'Nu ophouden,' zei mijn moeder.
'Uiteraard,' zei Kristian. 'Een geweldig boek. Maar dat ken jij zeker nog niet?'
'Nee,' moest ik toegeven. Maar de sfeer was zo gemoedelijk dat ik me op het eten kon concentreren terwijl mijn moeder glimlachend vertelde dat Kristian niet vreemd moest opkijken als hij hier binnenkort een klein meisje tegen het lijf zou lopen, want we verwachtten gezinsuitbreiding. Kristian zei dat haar dat verdorie niet aan te zien was. En ze lachten tegen elkaar op een manier die ik niet eens zal proberen te beschrijven, ik zal alleen zeggen dat Kristian net zo at als hij stond en liep, rustig en waardig en dat hij na elke boterham wachtte tot mijn moeder hem aanspoorde om er nog een te nemen, en dat mocht best met wat meer beleg. Ze snapte niet wat dat voor een gekkigheid was, om niet te eten na vijven, waarop Kristian beweerde dat binnenkort vast meer mensen in dit land zouden moeten leren wat ascese was.
'Want het is niet gezegd dat dit zo blijft doorgaan.'
'Wat bedoelt u daarmee?' vroeg mijn moeder vinnig. Hij wees vrolijk met zijn mes naar haar en glimlachte.
'Nou deed je het weer, je noemde me "u".'
Ik had geen zin om hiernaar te zitten luisteren, bovendien had ik er nu lang genoeg naar gesnakt om de televisie aan de praat te krijgen. De afgelopen avonden hadden we samen in de woonkamer gezeten, mijn moeder met haar breiwerkje en haar kop thee, ik met een stripblad terwijl ik onrustige blikken had geworpen op de teakhouten kolos die ons stond aan te staren met zijn groen-zwarte blinde oog. De toekomst bevond zich in dat kastje. De wereld. Groot en niet te bevatten. Mooi en raadselachtig. Een traag werkende geestelijke kernexplosie, dat wisten we toen alleen nog niet. Maar we vermoedden het. En de reden dat hij daar nog steeds zo doodstil stond, was onder andere, zo begreep ik van mijn moeder, dat de huurder zou kunnen vinden dat wij ons boekje te buiten gingen als zij me op de ivoorgele knop liet drukken. Of hij zou de geluiden

31

daarbinnen in zijn tussenstation horen en zich aangemoedigd voelen om zijn kamer uit te komen en meer ruimte in beslag te nemen dan hij volgens het contract zou mogen, bij ons in de kamer gaan zitten en daar in zekere zin het recht toe hebben, avond na avond; deze zaak had vele haken en ogen, het had geen zin om te schreeuwen: 'Ik wil hem aanzetten!'

We moesten doen alsof het ding daar alleen in de opslag stond. Maar nog nooit was iets bij ons in de opslag zo dominant aanwezig geweest. Mijn moeder las zelfs in de krant welke programma's er werden uitgezonden, nu was de Schlagerparade met Erik Diesen erop, dus misschien konden we 'Seemann' of 'Livet i Finnskogene' horen, die we anders alleen op de radio konden beluisteren en hoe zat het met Alles of Niets, de quiz waarover ik Essi had horen praten alsof het het achtste wereldwonder was?

Maar toen ik eindelijk opstond van tafel en doodleuk naar de woonkamer liep en de knop boven het Tandberg-merkje indrukte, gebeurde er geen ene moer. Geen enkel geluid. Geen enkele lichtflits. Gedurende een halve minuut. Toen knalde er een knetterende sneeuwstorm in mijn gezicht, en Kristians stem klonk uit de keuken: 'We moeten een kijklicentie aanvragen. En er moet een antenne komen.'

Hij stond op, liep zijn kamer in, rommelde in een doos en kwam terug met iets wat hij een binnenantenne noemde, iets wat op de gegalvaniseerde voelsprieten van een monsterkever leek en wat volgens hem gewoon schroot was. Maar toen hij de antenne gemonteerd had, konden we in ieder geval een stel vissen zien zwemmen achter iets wat kronkelde en golfde en op het behang bij Syversen leek.

'Ik zorg wel dat er een komt,' zei Kristian en hij draaide aan de voelsprieten zodat de golven groter of kleiner werden.

We zaten naar de misvormde vissen te kijken, mijn moeder op het randje van de bank met samengeknepen schoenenwinkelknieën en een voorovergebogen afwachtende houding, alsof ze op de bus wachtte; Kristian wijdbeens midden in de kamer staand, zijn armen over elkaar geslagen en door de balkondeur naar buiten kijkend waar de buitenantenne waarschijnlijk geïnstalleerd moest worden. Hij ging pas zitten toen mijn moeder hem daartoe uitnodigde, ook op het puntje van zijn stoel, bedachtzaam, zijn ellebogen rustten op zijn knieën en zijn kin beroerde net zijn knokkels, zodat ook hij iets vluchtigs kreeg. Ik was de enige die aanwezig was. Maar in de loop van de avond werd de eerste steen gelegd voor wat ik destijds als vriendschap beschouwde.

Het bleek namelijk dat Kristian een fan van getallen was, net als ik, rondetijden, jaartallen, nummerborden; als ik eenmaal iets geleerd had, dan vergat ik dat nooit meer. Hij wist bijvoorbeeld dat er meer dan zestigduizend televisietoestellen in Noorwegen waren, wat erop neerkwam dat een op de tien huishoudens er een had; in de VS hadden ze al kleurentelevisie, in bijna elk huis. Hij gebruikte woorden als 'intelligent' en 'ontwikkeling' en 'sporadisch', begrippen waar mijn moeder en ik slechts een uiterst vage notie van hadden. Na de vissen werd het scherm gevuld met een groot Aziatisch gezicht dat bleek toe te behoren aan de man met de belachelijke naam Oe Thant, over wie we op de radio al gehoord hadden en waar we hartelijk om hadden gelachen, maar Kristian wist dat Oe Thant kennelijk niet alleen intelligent was, maar ook een vooruitziende blik had – zegt men, voegde hij eraan toe. En die korte toevoeging vertelde ons dat Oe Thants mentale bagage niet slechts de opvatting van één simpele huurder was, maar meer in de buurt kwam van een meerderheidsbesluit, een waarheid, tot uitdrukking gebracht door het op zijn zachtst gezegd speculatieve 'zegt men' en 'kennelijk'. Bijna elke zin die hij uitsprak bevatte een onderhuidse, onweerstaanbare magie. En hoewel hij in de volgende minuten zowel klootzak zei (één keer) als hinkepoot en baksillen en niet in de laatste plaats schaft, kregen we toch opnieuw het vermoeden dat hij misschien een opleiding had gehad en zag ik aan mijn moeder dat dat haar nerveuzer maakte dan zijn vulgaire taal; ik bedoel, iedereen kan immers vloeken, er was bijvoorbeeld behoorlijk grof gescholden toen de deur naar mijn oude kamer werd gesloopt. Dus waarschijnlijk bracht de combinatie haar van haar stuk, het gegeven dat een en dezelfde persoon zowel woorden als klootzak als sporadisch kon gebruiken, alsof de man een soort asbakkenras was, een man zonder wortels, wat zoals iedereen weet een zigeuner is, wat weer vals en onbetrouwbaar betekent; hadden we een Trojaans paard in onze idylle gestald?

De avond eindigde met een korte mededeling van mijn moeder:

'Eh, ja, nu wordt het wel bedtijd.'

Ze stond op en trok haar rok naar beneden. Kristian schoot ook overeind, alsof hij op heterdaad was betrapt.

'Ja, ja, er is morgen ook weer een dag. Welterusten.'

Hij liep naar zijn kamer, maar kwam weer terug en zei: 'Bedankt voor het eten, dat vergat ik bijna,' en hij legde een zwarte vijføremunt op de televisie, zei dat ik die mocht hebben, een ijzeren vijføremunt uit de oorlog. Hij vertelde dat hij zelf ooit munten had verzameld, dat deed ik vast ook?

Na een poosje konden mijn moeder en ik naar de badkamer gaan voor ons avondritueel, dat omvangrijker was geworden sinds de huurder er was, omdat ze nu tot het laatste moment wachtte met het verwijderen van haar schoenenwinkelmake-up; ik zat op de rand van de badkuip met mijn tandenborstel in mijn ene hand en de munt in mijn andere.

'Wat vind je ervan?' vroeg ze terwijl ze me via de spiegel aankeek.

'Wel leuk,' zei ik, over de televisie, hoewel die – vanwege de programmering waarschijnlijk – niet helemaal aan mijn verwachtingen had voldaan, maar daar was dan ook heel wat voor nodig. Ik had in elk geval morgen op school iets te vertellen.

'Vreemd,' zei ze.

'Wat?'

'Ik hoop niet dat we iets stoms hebben gedaan.'

'Hè?'

'Heb je zijn handen niet gezien? Die werkt van z'n leven niet in de bouw.'

'Wat bedoel je?'

'Je hebt toch de handen van Frank … eh, meneer Syversen gezien?'

Ik snapte niet waar ze naartoe wilde, maar keek naar mijn linkerhand, die met de vijf øre, daar viel niets bijzonders aan te zien.

'Ik hoop niet dat het een snob is,' zei mijn moeder.

Ik wist niet wat een snob was en vond ook niet dat het woord erg bij Kristian paste toen ze het had uitgelegd.

In de dagen daarna bleek de nieuwe huurder nogal wat spullen te bezitten om jaloers op te zijn: een bajonet uit zijn diensttijd, een microscoop in een met messing beslagen houten kistje, een leren zakje met achtentwintig stalen kogels die in kogellagers van gele bouwmachines hadden gezeten en die je kon gebruiken als knikkers of die je gewoon vast kon houden – het was een heerlijk gevoel om die in je hand te hebben. In een ander houten kistje zat een kleine koperen tol waar een groene spiraal op geschilderd was, als je daarnaar keek werd je acuut duizelig. Hij had ook een schaakspel met stalen stukken die hij beweerde zelf gemaakt te hebben, net als de tol; hij was namelijk opgeleid tot gereedschapsmaker. Maar hij had dat geen leuk vak gevonden om redenen die hij uitlegde, maar waar ik niets van begreep. Daarom was hij in plaats daarvan zeeman geworden, wat hem goed was bevallen tot het schip waarop hij voer ten westen van Ierland verging. Toen wilde hij ook geen zeeman meer zijn en keerde hij terug naar zijn oude stiel, maar dat was in de tussentijd niet veranderd, dus was het de bouw geworden, uiteindelijk.

Meer vertelde hij niet over dat werk, dat volgens mijn moeder niet bij zijn handen paste, tot ze het hem op een avond op de man af vroeg. Dat was nadat hij de huur voor de eerste maand had betaald – stipt op tijd.

'Ik houd me vooral bezig met vakbondsactiviteiten,' zei hij kortaf en toen liep hij naar zijn kamer terwijl mijn moeder en ik elkaar vragend aankeken.

'Jeetje,' zei mijn moeder.

En daarmee was het ene mysterie vervangen door het andere. Waarom kon Kristian zijn kaarten niet op tafel leggen, net als wij, nu hij hier toch woonde en zich zo sympathiek gedroeg dat we hem allebei aardig vonden?

In feite was mijn moeder de enige die zich zorgen maakte. Ik had me allang verzoend met Kristian de zeeman en de gereedschapsmaker, en wel zozeer dat ook dat een probleem werd. Mijn moeder verbood me namelijk naar hem toe te gaan als ik dat wilde en dat was vrijwel elke avond. Ik klopte aan, hij zei 'kom binnen' en dat deed ik dan en ik bleef naar hem staan kijken tot hij opkeek uit zijn krant en knikte naar de ene houten stoel waar hij plek voor had naast de fauteuil waarin hij zelf zat. Dan las hij nog een paar minuten door terwijl ik met mijn handen tussen mijn knieën zat te kijken naar zijn boeken, naar het zakje met de stalen kogels dat aan een haak aan de muur hing of naar het schaakbord tot hij uitgelezen was en vroeg of ik mijn huiswerk al had gemaakt.

'Ja,' zei ik.

'Ik heb nooit huiswerk gemaakt,' zei hij.

Daar werd ik niet warm of koud van. Ik had veel vriendjes die nooit huiswerk maakten en die kregen daar alleen maar gedonder mee; bovendien vond ik woorden en getallen leuk en dat was me waarschijnlijk aan te zien.

'Je bent een rare snuiter,' zei hij.

'Jij ook,' zei ik. 'Zullen we door de microscoop kijken?'

'Ja, ja, pak hem maar.'

Ik pakte de microscoop, monteerde de spiegels en de glaasjes en we bestudeerden het oppervlak van een muntje; dat zag er vreselijk uit, kriskras groeven, zo diep als bergspleten, allemaal dingen waar je met het blote oog blind voor bent.

'Weet je wat dat is?' vroeg Kristian.

'Nee.'

'Dat is de geschiedenis van de munt, kijk, hier, het jaartal, 1948; sinds die tijd is deze munt door duizenden handen gegaan, heeft in spaarpotten, kassa's, in zakken en muntautomaten liggen rammelen, is misschien wel uit een taxi gevallen, heeft op een regenachtige nacht door de Storgate gedanst en is overreden door een bus, om de volgende ochtend gevonden te worden door een klein meisje dat op weg naar school was en dat hem mee naar huis heeft genomen en hem in haar spaarpot gestopt. Dat zijn allemaal "sporen", de geschiedenis van de munt, weet je wat geschiedenis is, jongen? Nou, dat is slijtage. Kijk hier eens bijvoorbeeld, naar mijn gezicht, dat zit vol rimpels, al ben ik nog maar achtendertig, en kijk naar dat van jou, glad als babybilletjes, en dus is het verschil tussen ons alleen maar slijtage, een kleine dertig jaar slijtage, net als het verschil tussen die munt daar en een kroon die gisteren is geslagen, deze hier, bijvoorbeeld' – hij haalde een gloednieuwe kroon tevoorschijn, zo'n munt met een paard waar vroeger het kroontje had gestaan en liet me die onder de microscoop leggen. Hij was waarachtig zo glad als een zee zonder wind. Tot we het objectief verwisselden en er nog beter naar keken; toen bleek dat zelfs het oppervlak van een nieuwe munt mat is, bedekt met piepkleine deeltjes die Kristian kristallijn schaafsel noemde en die door slijtage verwijderd moesten worden – 'een munt is met andere woorden niet op zijn allergladst – dat wil zeggen op zijn hoogtepunt als munt – als hij door de stansmachine wordt uitgespuugd, maar ongeveer op het moment dat de zesentwintigste of drieënveertigste eigenaar hem uit zijn zak opdiept om te betalen voor een hotdog met een aardappelpannenkoekje en mosterd bij de Ås-kiosk op de renbaan van Bjerke – dát is het hoogtepunt in de geschiedenis van de munt, het moment hij uit de hand van een hongerige klant glijdt en op de toonbank van een volgevreten worstverkoper landt. Vanaf dat moment gaat het bergafwaarts met hem, onverbiddelijk, al duurt dat een hele poos. Heb jij ooit volkomen afgesleten munten gezien?'

'Nee.'

'Loop eens naar de kamer om de encyclopedie van je moeder te halen, het deel met de S op de rug.'

Ik deed wat hij vroeg en we zochten koning Sverre op, op zich al een hoogtepunt in de slijtage van ons land, maar Sverre was niet alleen krijgsman en koning geweest en had het land volkomen op zijn kop gezet, hij had ook munten laten slaan die in de encyclopedie waren afgebeeld. Er stond heel vaag suerus magnus rex op, wat Latijn was; ze waren dun als blaadjes, zo glanzend en glimmend dat als je ze in de lucht hield, je de zon erdoorheen kon zien schijnen. 'Maar dan hebben we het over een slijtage van maar liefst achthonderd jaar, dus zo snel gaat dat niet, bij munten, wel te verstaan,' besloot Kristian veelzeggend.

Ik keek hem niet-begrijpend aan.

'En wanneer denk je, nu je dit weet,' vroeg hij filosofisch, 'dat een mens op zijn hoogtepunt is?'

Ik dacht na.

'Misschien wel op jouw leeftijd,' zei hij met een samenzweerderig glimlachje.

Die avond nam ik de encyclopedie mee naar bed en las het hele artikel over koning Sverre en ook al stonden er een heel stel woorden in die zelfs Kristian niet gebruikte, ik begreep toch dat hij volkomen gelijk had.

5

Maar mijn moeder was dus niet zo dol op mijn bezoekjes aan zijn kamer. Ik moest de huurder niet storen, zei ze, en bovendien beviel het haar niet dat ik er zo lang bleef nadat ik had aangeklopt en hij 'binnen' had gezegd – soms zei hij niet 'binnen' en dan ging ik weer weg. Ze vond het vooral erg dat ik naar buiten kwam met allerlei weetjes, zoals de gemiddelde temperatuur op Spitsbergen, het feit dat het Noorse volk gemiddeld drie komma drie miljoen liter gedistilleerd per jaar dronk, maar met moeite slechts een tiende van die hoeveelheid aan rode wijn wegklokte, want dat soort feitjes propte je niet in het hoofd van een klein kind.

'Ik ben geen klein kind.'

Bovendien kon ik haar vertellen dat wat wij altijd rode worst hadden genoemd eigenlijk salami heette en dat de sociaal-democraat Gerhardsen niet te vertrouwen was, al stemden wij bij elke verkiezing steevast op hem. Dus stak ze een stokje voor mijn avondbezoekjes. Ik mocht niet eens de microscoop teruggeven die ik had mogen lenen om de steken in de nylonkousen van mijn moeder te bestuderen. Dat deed zij voor mij. Maar toen ze terugkwam had ze rode konen en wilde ze weten of de huurder altijd zijn ondergoed aan de gordijnrail te drogen hing.

Ik had geen idee. Maar zij laadde zich op voor een nieuwe aanval, holde zijn kamer weer in en zei dat ze daar niet van gediend was, ondergoed voor het raam, zodat alle buren het konden zien.

'O,' zei Kristian onverschillig. 'Maar waar moet ik het dan laten drogen? En wassen?'

Eind van het liedje was dat hij een eigen mand voor zijn vuile wasgoed kreeg, zodat hij die zelf naar het washok kon sjouwen als zij ging wassen; als hij het in de trommel gooide, zou zij het voor hem ophangen in de droogruimte. Ik begreep dat het zo geregeld was omdat zij zijn vieze was niet wilde aanraken. Dat snapte Kristian ook. En de weken erop hadden we niet veel contact.

Die herfst was er echter een handelsstaking, de schappen in de winkel van Omar Hansen raakten leeg en als mijn moeder uit de schoenenwinkel naar huis kwam kostte het haar een eeuwigheid om alles te vinden wat we nodig hadden. Maar op een middag stond er een grote doos in de hal met daarin margarine, brood, aardappelen, visballetjes, een tube kaviaar, leverpastei, twee flesjes Solo, drie plakken Freia-melkchocolade en helemaal onderin twee cowboystrips, voor mij.

'Dat had je niet moeten doen,' zei mijn moeder.

'Waarom niet?' vroeg Kristian, die net als Frank 'connecties' had, zei hij, bij de vakbond en die had mijn moeder niet, integendeel, háár vakbond zat achter de staking.

'Je kunt het toch in elk geval voor mij in de koelkast bewaren?'

Het was net als met de televisie, waar mijn moeder en ik nu elke avond naar keken, mogelijk gemaakt door het feit dat zij een kijklicentie had aangevraagd, op haar naam. Kristian maakte steeds meer deel uit van ons leven, hoe ze zich er ook tegen verzette.

'Wat moet je ervoor hebben?' probeerde ze.

'Wat is er eigenlijk met jou aan de hand?' zei hij nijdig en hij liep naar zijn kamer, deed de deur achter zich dicht. De doos stond daar nog een uur of twee voordat mijn moeder weer verstandig werd en ze de spullen in de koelkast zette.

'Dit zit me eigenlijk helemaal niet lekker,' zei ze. Maar toen zei ze ook: 'Ja, ja.' En ze gaf me het ene flesje Solo. Alweer sinas midden in de week.

Daarna aten we ook samen een plak chocolade op, zetten de televisie aan en keken naar de Schlagerparade en een lange documentaire over een paard dat bierkratten van de brouwerij naar de bedrijven in de stad bracht. Het paard heette Beertje en was drieëndertig jaar, wat een geweldige leeftijd is voor een paard. Het ging erover dat Beertjes tijd nu voorbij was en niet alleen zíjn tijd, maar ook die van al zijn melancholieke soortgenoten: hij moest wijken voor auto's en asfalt en niet in de laatste plaats voor snelheid. Hoe langer we naar het programma keken, des te triester en zinlozer het werd, we hadden allebei tranen in onze ogen. Maar het einde was gelukkig dat Beertje en zijn stokoude baas rondslenterden door een weiland bij een enorme boerderij waar ze op hun oude dag konden uitrusten terwijl de zon scheen, de bloemen heen en weer wiegden en de leeuweriken zongen.

'Godzijdank,' zei mijn moeder en ze zette snel de tv uit. We bleven met het televisielicht in onze ogen zitten knipperen tot ze plotseling uitriep: 'Ik trek het van zijn huur af!'

6

Toen kwam Linda. Ze kwam met de bus. Alleen. Omdat mijn moeder geen zin had de kapster nog eens te ontmoeten, kreeg ik de indruk.

Het was op een zaterdag. We liepen op ons gemak en ruim op tijd naar de bushalte bij het Aker-ziekenhuis en wachtten op de Grorud-bus die om vier voor halftwee zou moeten komen. Ik was naar school geweest en had nauwelijks tijd gehad om mijn schooltas thuis af te leveren. Ik had niemand iets verteld over Linda, over wat er ging gebeuren, omdat ik er geen woorden voor kon vinden. Maar ik had op een uiterst indirecte wijze het thema ter sprake gebracht bij een van mijn makkers, Roger, die twee oudere broers had, en hem gevraagd hoe het eigenlijk was om met meer kinderen te zijn, een probleemstelling die hij niet helemaal begreep tot hij het blijkbaar toch snapte en met een scheve grijns zei: 'Enigst kindje.'

Dat klonk alsof het een gebrek was, net zoiets als mank. Ik had natuurlijk ook zelf mijn onuitgesproken gedachten over deze zaak laten gaan, terwijl we het nieuwe bed in elkaar zetten – ik had er zelfs al een nacht in geslapen – en vooral wanneer mijn moeder zat te piekeren in de periode tussen de beslissing om Linda in huis te nemen en vandaag. En ook toen ze naar zolder ging en terugkwam met onze reusachtige koffer met stickers van Lom en Dombås, die vol bleek te zitten met kleding uit haar eigen jeugd, waaronder kleren die ze had gedragen toen ze Linda's leeftijd had, zes jaar. Ze graaide erin en hield ze omhoog, dacht na en mompelde wat en zei: 'O kijk eens,' en 'Mijn god, nee, wat is dít dan' en 'Daar hebben we vast niks meer aan, behalve aan deze misschien?'

Een pop, die Amalie heette en die er niet uitzag; de vulling puilde uit een scheur in haar buik omdat mijn moeders broers, zo kreeg ik te horen, op de pop een blindedarmoperatie hadden uitgevoerd en ze had bungelende benen en een loszittend, kogelrond hoofd met doffe glazen ogen.

'Schattig, toch?'

'Eh, ja, best wel.'

Ze had Amalie in Linda's bed gelegd, waar de pop de afgelopen week had gelegen om opeens weer te verdwijnen, dat was vanochtend gebeurd.

'Waar is Amalie?' vroeg ik toen ik wakker werd. Maar mijn moeder gaf geen antwoord. 'Ze komt toch vandaag – Linda?'

'Ja, ja,' zei mijn moeder en ze deed alsof dat nu juist de reden was dat Amalie weer op zolder lag, zodat er geen misverstanden zouden ontstaan tussen haar en Linda, weet ik veel; het bed was helemaal vers opgemaakt en voor de derde keer verschoond – er lag niets in, het wachtte.

Toen kwam de bus dan eindelijk. Hij stopte ook. Maar er stapte niemand uit. Er stapten wel een groot aantal passagiers in. Mijn moeder en ik keken elkaar aan. De luchtremmen sisten en de harmonicadeuren klapperden en schokten, waarna ze weer dreigden dicht te gaan. Mijn moeder stormde op het laatste nippertje naar voren en riep 'stop!' De conducteur sprong op van zijn stoel, liep naar haar toe, pakte haar arm en drukte in één vloeiende beweging met zijn knie de deur weer open.

'Een beetje voorzichtig, mevrouw.'

Mijn moeder zei iets en de bus bleef staan terwijl zij naar binnen verdween, achter de vieze ruiten. Ze bleef een eeuwigheid weg. Er werd wat geroepen daarbinnen en toen kwam ze eindelijk weer naar buiten, ontdaan, met een knalrood hoofd en aan haar hand had ze een meisje in een iets te strakke jurk en ondanks het gure herfstweer met witte kniekousen en met een klein lichtblauw koffertje in haar hand.

'Dankjewel, dankjewel,' riep ze naar de conducteur, die zei: 'Niet nodig' en 'graag gedaan' en nog een paar dingen waardoor mijn moeder een nog rodere boei kreeg. Ze schikte haar haren terwijl ik om de nieuwe aanwinst heen liep en haar aanstaarde – Linda, die klein en dik en stilletjes bleek te zijn en die haar ogen strak in het asfalt boorde.

De bus reed eindelijk verder en mijn moeder ging op haar knieën voor ons nieuwe gezinslid zitten en probeerde oogcontact met haar te krijgen, wat niet echt lukte voor zover ik kon zien. Maar toen kreeg mijn moeder het opeens vreselijk te kwaad; ze begon het plompe wezentje te knuffelen op een manier die me ernstig zorgen baarde.

Maar ook daar reageerde Linda niet op en mijn moeder droogde haar tranen en zei, zoals altijd wanneer ze zich schaamt: 'Hè, wat doe ik nou, kom, we gaan naar Omar Hansen, chocola kopen. Heb jij zin in chocola, Linda?'

Linda zei geen boe of bah. Ze rook raar, had een ongekamde, wilde haardos en een pony die voor haar ogen hing. Maar ze stopte wel haar hand in die van mijn moeder en greep twee van mijn moeders vingers zo stevig vast dat haar knokkels wit werden. Toen kreeg mijn moeder het weer te kwaad. Ik kon het niet meer aanzien, deze greep die, zoals ik instinctief besefte, een greep voor het leven was en die alles zou veranderen, niet alleen in Linda's bestaan, maar ook in dat van mij en mijn moeder, zo'n greep die zich vastklauwt om je hart en je in de tang houdt tot je doodgaat en die er ook nog is als je in je graf ligt te rotten. Ik griste het lichtblauwe koffertje dat bijna niks woog uit haar hand en zwaaide ermee boven mijn hoofd.

'Ze vraagt of je chocola wilt!' riep ik. 'Ben je doof of zo?'

Linda schrok en mijn moeder wierp me een van haar dodelijke blikken toe die we normaal gesproken alleen in grotere gezel-schappen uitwisselen. Ik vatte de hint en bleef een paar passen achter hen lopen toen we de heuvel op sjokten, mijn moeder nu met een gemaakt gezellige en veel te luide stem die zei: 'Daar gaan we wonen, Linda' terwijl ze door de uitlaatgassen naar de overkant van de Trondhjemsvei wees.

'Op de tweede verdieping, daar, met de groene gordijnen, dat is Blok 3, de derde flat van onderaf, een van de eerste die hier is ge-bouwd ...'

En nog een heleboel andere flauwekul waar Linda ook al niks op te zeggen had.

Maar toen we alle drie een reep chocola hadden, ging het iets beter, want Linda at heel schrokkerig, ze glimlachte eerder verbijs-terd dan gelukzalig en dat maakte haar ietsje minder zielig, ja, mijn moeder vond vast dat ze die reep te gulzig opat en dat dat iets was wat op haar aan te merken viel, iets was wat je graag anders zou zien, wat denk ik goed was voor ons allemaal, want Linda had nog steeds niks gezegd. Dat deed ze pas toen we het huis binnenstapten.

'Bed,' zei ze.

'Ja,' zei mijn moeder confuus. 'Daar ga je slapen.'

Waarop Linda eindelijk mijn moeders vingers losliet uit haar ijzeren greep, op het bed kroop, ging liggen en haar ogen dichtdeed. Mijn moeder en ik stonden naar dit spelletje te kijken, met stijgende verbazing, want het was geen spelletje. Linda sliep als een os.

Mijn moeder zei ja ja, stopte haar in en bleef op de rand van het bed haar haren en wang strelen, om vervolgens de kamer uit te lopen en bij de keukentafel neer te ploffen alsof ze net was teruggekeerd uit de oorlog.

'Ze zal wel helemaal uitgeput zijn, de stakker. Komt bij ons wonen. Helemaal alleen …'

Ook voor die redenering kon ik geen begrip opbrengen, wat kon er nou leuker zijn dan bij ons te komen wonen en slapen in een bed dat al drie keer was opgemaakt zonder dat er iemand in had gelegen? Dat zei ik ook en liet mijn moeder merken dat ik al behoorlijk tabak begon te krijgen van ons nieuwe gezinslid.

Maar dat hoorde ze niet, ze had het blauwe koffertje opengemaakt en een brief gevonden, een soort gebruiksaanwijzing, bleek, er stond met een hoekig handschrift in wat Linda graag deed – spelen(!) – en at: Sunda-honingpasta, komijnekaas en aardappelen met jus, maar ze hield niet zo van vlees en vis en groente. Er stond ook dat we 'moesten oppassen dat we het kind niet te veel volpropten met eten'. Bovendien had ze iets aan haar linkerknie, waarvoor ze medicijnen moest slikken, pillen in doosjes met Linda's naam erop die mijn moeder ook in de koffer vond en die ze tegen het licht hield om ze nader te bestuderen; elke avond twee pillen, of drie. 'En geef die haar met een groot glas water,' stond er, 'vlak voor ze gaat slapen, zodat ze 's nachts niet opstaat en naar de koelkast loopt.'

Mijn moeder kreeg het weer te kwaad.

'Godallemachtig.'

'Wat is er?'

'Zo zielig!' kreunde ze.

Ik snapte er nog steeds niks van, kon alleen maar herhalen: 'Wat ís er?'

'En zoals ze op hem lijkt!'

'Op wie lijkt?' schreeuwde ik en voelde dat ik nu serieus in paniek begon te raken, niet zozeer door wat ze zei, maar door hoe ze eruit-zag. Ze had het uiteraard over de kraandrijver, mijn vader, de vader van Linda, de vervloekte reden van al dit gekrijs, de man die voor hij naar beneden kletterde erin geslaagd was er zo'n puinhoop van te maken dat onze hele wereld op zijn kop stond. En alsof dat nog niet genoeg was, kwam Kristian het volgende moment thuis. Hij hoorde in de hal al dat er iets mis was en vroeg wat er aan de hand was.

'Dat gaat je niks aan!' schreeuwde mijn moeder helemaal over-stuur en ze deed geen enkele poging om haar betraande gezicht te verbergen. 'Maak dat je wegkomt! Hoor je me! En laat je hier niet meer zien!'

Kristian was slim genoeg om te snappen dat dit een noodtoestand was en blies bedaard de aftocht. Ik was niet zo slim.

'Maar op wie lijk ík dan?' riep ik. 'Je hebt nooit gezegd dat ík op iemand lijk!'

'Waar heb je het over!?'

Ik was een ander en voordat ik wist wat ik deed greep ik haar hand en zette mijn tanden in de twee vingers die Linda had geconfisqueerd en beet zo hard ik kon, zodat ze echt een reden had om te schreeuwen. Ze haalde met haar vlakke hand naar me uit, hard en grondig, iets wat ze nog nooit had gedaan, waarna we elkaar stonden aan te staren, nog meer veranderd. Ik voelde zelfs een star glimlachje over mijn afschu-welijke gezicht trekken, en een bijtende kou.

Ik kotste op de vloer tussen ons in, liep rustig naar de hal, trok mijn jas aan en ging naar buiten, naar de anderen, naar degenen die geen huis hadden, leek het wel, ze waren in elk geval nooit thuis, de grote jongens die al waren opgegeven, Raymond Wackarnagel en Ove Jøn enzovoort ... Die avond vernielden we de ramen in de voordeuren van Blok 2 en 4 en 6 en 7 en 11 en ook het kleine ruitje van het magazijn van Lien, waar sago en shag werden bewaard. Nooit zijn er op één enkele zaterdagavond zoveel ramen in ons buur-tje vernield. En misschien was ik de enige die wist waarom, of die in elk geval een reden had – een stil, vreemd wezen dat thuis in ons nieuwe stapelbed lag te slapen; de anderen deden het meer uit macht der gewoonte, of omdat het in hun aard lag, in die van mij lag het absoluut niet.

De dagen erop was de hele buurt in rep en roer, met een onderzoek door de huismeester en de voorzitter van het bewonerscomité. Niet dat het moeilijk was om te ontdekken wie het gedaan had, het waren the usual suspects, Ove Jøn en Raymond Wackarnagel et cetera, maar het raadsel in deze affaire was ik, ik die nog nooit iets verkeerds had gedaan en die bekendstond als een moederskindje en dat niet alleen omdat ik geen vader had, maar omdat ik een evenwichtige jongen was, een vrolijke jongen met beide benen op de grond en een goed stel hersens, zoals juf Henriksen altijd op mijn proefwerken schreef; ik kon lezen en rekenen, ik was niet bang, zelfs niet voor Raymond Wackarnagel, ik waste bijna elke avond af, ik was een beetje klein van stuk, maar ik pieste niet in mijn broek en ik schilderde met alle genoegen een hele woonkamerwand met een kwast als dat van mij verlangd werd. Was ik alleen maar in verkeerd gezelschap geraakt? Of sluimerde er in mij ook een onberekenbare rotzak?

Dit gaf Kristian de kans om weer op het toneel te verschijnen.

'Wat een onzin,' zei hij tegen voorzitter Jørgensen die breed en stoer in onze hal met mijn moeder stond te praten over de vraag hoe deze vandaal aangepakt moest worden. 'Er is niks mis met die jongen.'

'Hoe weet jíj dat nou,' was het vinnige antwoord van mijn moeder die het in dit geval nodig had gevonden een knieval te maken voor Jørgensen, dat kan ze goed, mijn moeder, onderdanig doen als het moet, dat komt door haar achtergrond, de jongste van vier kinderen uit een arbeidersbuurt met een vader die blijkbaar dronk, veel, en een moeder die na zijn dood in een stoel ging zitten en ook begon te drinken.

'Dat ziet toch iedereen die bij zijn volle verstand is,' zei Kristian met zijn onoverwinnelijke vakbondsstem.

Voor de zekerheid legde hij ook nog een hand op mijn hoofd, glimlachte – god mocht weten waarom – en liep toen neuriënd zijn kamer in.

Mijn moeder bleef met haar armen over elkaar staan frunniken aan het verbandje dat ze om haar twee pijnlijke vingers, de Linda-vingers, had gewikkeld, nu een tikkeltje minder zeker van de on-zalige alliantie die ze met Jørgensen was aangegaan, een man die niet alleen bepaalde wanneer de radiatoren moesten worden gelucht, maar ook dat stepsleetjes moesten worden ingeklapt voordat ze 's zomers in de schuilkelder mochten worden opgeslagen.

'Nee, ja, we moeten het natuurlijk ook niet overdrijven,' probeerde ze terwijl ze een andere kant op keek. En dat was genoeg om mij weer aan het janken te krijgen en ik riep dat ik het raam van Blok 11, het enige dat ík had vernield, van mijn eigen spaargeld zou terugbetalen.

Mijn moeder keek ontroerd op me neer en Jørgensen besefte dat de onderhandelingen afgelopen waren, maar hij bleef toch staan alsof hij wilde onderstrepen dat híj en niet mijn moeder besliste wanneer hij wegging, om nog maar te zwijgen van de vraag wanneer de zaak als opgehelderd kon worden beschouwd; toen hij dat gedaan had, vertrok hij.

En toen kon mijn moeder beginnen aan een lange tirade: dat ik uit de buurt van de bende op straat had te blijven en hoe ik het in mijn hoofd haalde enzovoort. Maar dat was allemaal normaal, in tegenstelling tot het compleet krankzinnige dat ons was overkomen op de dag dat Linda was gearriveerd, afgelopen zaterdag.

Die zat nu bij de keukentafel te wachten.

Op de avondboterham.

De gebruiksaanwijzing in het blauwe koffertje volgend hadden we de regel ingevoerd dat mijn moeder de boterhammen op de broodplank smeerde en ze over twee bordjes verdeelde die ze voor ons neerzette, naast onze melkglazen. Evenveel boterhammen op elk bordje, twee en een half met het door ons gewenste beleg terwijl mijn moeder er maar eentje at, met stroop, wat haar aan haar jeugd deed denken, of misschien aan wat ze altijd tekortgekomen was, want schraalhans was daar keukenmeester geweest, zoals dat heet. Zij at haar boterham staande bij de broodplank terwijl ze wat in een kastje rommelde, of in de afwasteil, waarbij ze soms iets grappigs zei. Meer boterhammen kreeg Linda niet, ook al zat ze nog zo naar mijn moeder te staren met lange, zwijgende blikken die normaal gesproken de sterkste wilskracht hadden kunnen breken, ja, ook al at ze lang zo gulzig niet meer als op de eerste dag en had ze bovendien begrepen dat ze niet met haar volle hand in het beleg moest grijpen, bijvoorbeeld in de Sunda-honingpasta.

En al had ik juist vanavond best zin in nóg een boterham en was het nooit een probleem geweest of ik er nu twee of zes at, ik voelde dat ik dat niet moest vragen; dat leverde me een goedkeurend knikje van mijn moeder op, omdat we ons zo eensgezind inspanden om de instructies in de brief te volgen. Linda begreep hoe de zaken ervoor stonden.

'Lezen,' zei ze.

En er werd gelezen. Maar eerst werd er afgeruimd en afgewassen, als je dat zo kunt noemen, want Linda deed niet veel meer dan op het krukje staan – dat ik had moeten opgeven – en met haar handen in het zeepwater kletsen terwijl ik grondiger dan normaal afwaste en merkte dat ze nu niet meer raar rook, ze rook nergens naar, net als ik. Haar haar was ook gekamd en geknipt en ze had een lichtblauw speldje gekregen dat haar pony uit haar grote ogen hield die ze daardoor niet meer kon verstoppen. Mijn moeder vroeg of ze een liedje kende. Na wat trekken en duwen mompelde Linda een titel die ik nog nooit gehoord had, maar mijn moeder glimlachte en neuriede een paar strofen van dat onbekende liedje dat zij wel kende, terwijl ze afdroogde en opruimde, en Linda naar het afwaswater glimlachte en blosjes op haar wangen kreeg, wat wij als een goed teken beschouwden, want ze had eerlijk gezegd niet veel geglimlacht sinds ze hier was.

Ook het voorlezen was behoorlijk veranderd, het moesten weer de *Vrolijke Vier* worden, een boek waar ik schoon genoeg van had, een groepje kinderen met onvoorstelbaar veel ouders, ooms en tantes, en *Mette-Marit op de balletschool*, dat mijn moeder als kind had gelezen en dat ze mij ook had willen opdringen, maar ik had een pesthekel aan Mette-Marit. Bovendien wilde Linda niet heel ver lezen, ze wilde de eerste anderhalve bladzijde steeds weer opnieuw horen, alsof ze de draad kwijtraakte als het verhaal eenmaal op gang kwam, of misschien omdat ze een speciale voorliefde voor herhalingen had.

Maar het is heel bijzonder om zo vlak onder het plafond te liggen met je armen onder je hoofd en te weten dat je je mond moet houden over je eigen behoeften, zolang je maar weet dat dat gewaardeerd wordt en daar zorgde mijn moeder wel voor, met een blik die ze on-langs aan haar repertoire had toegevoegd – we waren zoals gezegd een team geworden, met als taak te zorgen voor een mensenkind op wie we nog niet helemaal vat konden krijgen; en ook niet kregen voordat er dik drie maanden verstreken waren.

7

Mijn moeder kwam zoals gezegd uit een vrij groot gezin met drie oudere broers en een moeder die grijs was geworden en die zich had teruggetrokken in een schommelstoel. Ze verdreef de dagen met patience spelen en sherry drinken, maar ze fleurde altijd op als ze mij zag en vroeg me hoe het ging op school. Het was belangrijk om het goed te doen op school. Maar ze luisterde nooit als ik antwoord gaf.

'Kies eens een kaart,' zei ze.

Ik koos een kaart en als het klaverzeven was, betekende dat dat het me goed zou gaan in het leven, en ruitenboer betekende zo'n beetje hetzelfde. Maar we brachten – behalve op 24 december – alleen bliksembezoekjes aan haar woning op de begane grond van een van de oude arbeidersblokken in Torshov, niet meer dan een keuken en een kamer, en in die kamer die om de een of andere reden niet woonkamer werd genoemd maar salon, stond een enorme zuilvormige zwarte kachel die altijd zo heet was dat hij achter een scherm moest staan dat bijna even heet was.

Als we er op 24 december kwamen, mocht ik met oom Oskar mee naar de kelder om hout te hakken, dat was een fijne overgang tussen de ijskoude wandeling vanuit Årvoll en de naar varkensribstuk ruikende kerstavond die werd uitgevochten in de salon, waar nu een dennenboom stond te verpieteren naast de roodgloeiende kachel. Oma gebruikte nog steeds echte kaarsen die doorlopend moesten worden vervangen omdat het kaarsvet als snot over de kurkdroge dennennaalden stroomde.

Oom Oskar was veel ouder dan de anderen en had in de oorlog gevaren; hij had geen vrouw en kinderen, leefde van een uitkering en verdreef de tijd met eenvoudig timmerwerk, maar had zich toch 'gered', zoals mijn moeder zei. Hij kwam altijd vroeg op kerstavond om het ribstuk in de oven te schuiven en stond daarna in het houthok in de kelder urenlang voor oma aanmaakhoutjes te hakken, zodat ze de rest van de winter haar cokes op kon stoken. Als ik kwam, liet hij me zien hoe het hout gehakt en gestapeld moest worden, hij glimlachte en was vriendelijk en aardig, maar zei niet veel. En ook al verheugde ik me natuurlijk op de cadeaus, in feite was dit uurtje hierbeneden met oom Oskar het fijnste van de hele kerstavond. Want om de een of andere reden maakten de anderen voortdurend kleine rotopmerkingen tegen hem, vooral als we aan tafel zaten: dat zijn rug zo krom was geworden sinds de vorige keer, dat zijn haar veel grijzer was, dat hij alweer niet de toto had gewonnen.

Ook mijn moeder deed daaraan mee en dat vond ik niet leuk, ook al hield zij zich meer op de vlakte dan oom Bjarne, een vreselijk serieuze ingenieur die bij een papierfabriek buiten de stad werkte en die we daarom alleen deze ene dag van het jaar te zien kregen.

De jongste broer, oom Tor, was kelner in Hesteskoen of in Renna of Grefsensetra ... dat veranderde voortdurend. Hij was vrolijk en zorgeloos en danste met mijn moeder wanneer de cadeautjes waren uitgedeeld en de drankjes op tafel kwamen. Hij danste ook met oom Bjarnes snibbige echtgenote, tante Marit, die naarmate de avond vorderde ontdooide en uiteindelijk bijna helemaal smolt. Dit in tegenstelling tot haar echtgenoot, oom Bjarne, die altijd boeken kreeg met kerst en die nadat hij zijn zegje over oom Oskar had gedaan meestal meteen begon te lezen, op het bankje in de keuken waar hij waarschijnlijk ook het grootste gedeelte van zijn jeugd had doorgebracht – hij presteerde het om die boeken uit te lezen voordat de avond voorbij was en het tijd werd zijn kinderschaar en wankelende vrouw bij elkaar te vegen en naar de taxistandplaats op de Sandakervei te lopen. Er waren namelijk ook drie nichtjes, allemaal van Bjarne en Marit, die dialect spraken en die voortdurend oppasten dat ze geen varkensvet op hun jurk kregen. De oudste, die ook Marit heette, was twee jaar ouder dan ik en best interessant, ze vond het leuk om me beet te nemen, met trucjes.

'Kijk me eens aan, Finn,' zei ze en deed iets met haar vingers wat een goochelkunstje moest voorstellen en dan stond ze daar plotseling met een kerstmandje in haar hand die een fractie van een seconde daarvoor nog leeg was geweest. Maar dat trucje doorzag ik na verloop van tijd.

'Je hield hem in je andere hand.'

'Kijk nou dan,' probeerde ze.

'Nou heb je 'm achter je rug.'

Maar ze bleef glimlachen en stak haar ene hand uit, langzaam alsof ze een munt uit mijn oor wilde toveren, maar in plaats daarvan kneep ze me zo hard in mijn wang dat de tranen in mijn ogen sprongen en ik gilde van de pijn.

'Zo,' zei ze terwijl ze zich triomfantelijk omdraaide naar de anderen. 'Finn is er ook dit jaar weer met beide benen in getrapt, ha, ha.'

Ik wist dat die uitdrukking van oom Bjarne stamde, hij was dol op dat soort zaken, een spaak in het wiel, de bokkenpruik op hebben (over mijn moeder), om nog maar te zwijgen van als een schelvis op het droge, wat tegen oom Oskar gericht was, zegswijzen die mijn moeder en ik pijnlijk vonden. Ze mocht oom Bjarne niet, net zomin als zijn vrouw en zijn kinderschaar; ik had haar wel eens halvezool en uilskuiken en nog veel erger horen mompelen als ze dacht dat niemand haar hoorde.

Er was dus iets met oom Oskar, die net deed alsof hij de stekeligheden die hem naar het hoofd werden geslingerd niet hoorde, maar die vriendelijk tegen iedereen glimlachte en langzaam en overdadig veel at na de lange houthaksessie in de kelder. Hij nam zelfs werkkleren mee die hij voor het eten ophing in het piepkleine badkamertje, om zich vervolgens in zijn zondagse pak te hijsen. Mijn moeder was altijd erg gespannen en lichtgeraakt als we hier waren en ze ging nooit naar de wc, omdat het daar zo donker en benauwd was en ze had ook vaak een dag of twee nodig om weer bij te komen, mompelde altijd dat ze blij was dat we dat ook weer achter de rug hadden wanneer we 's nachts in de barre kou naar huis liepen, bijvoorbeeld vorig jaar, allebei met een rugzak vol cadeaus, langs het Ragna Ringdal-dagcentrum, over de ringweg en door Muselunden, mijn route naar school, langs de hutjes van Geel, Rood en Blauw die bedekt waren met glinsterende sneeuw en die op de stal van Jozef en Maria in Bethlehem leken met die rij nevelige gele sterren van de Trondhjemsvei op de achtergrond. De idylle werd alleen onderbroken door het geluid van roofdieren, als het al geen snurken was, terwijl mijn moeder haar schouders optrok, sneller ging lopen en zei 'arme stakkers' en: 'Wij hebben het goed, Finn, vergeet dat niet.'

Ook al was ze dus opgelucht dat ze de kerstavond in haar ouderlijk huis weer achter de rug had.

Het jaar dat we Linda kregen, meldde ze zich af, ze kon het niet opbrengen, zei ze tegen mij; wat er op de kerstkaarten stond die ze de familie stuurde, weet ik niet. Maar we zouden alleen zijn, wij drieën. En het werd een van de fijnste kerstfeesten die ik me kan herinneren, ook al begon het een beetje met een valse start. We hadden een kerstboom gekocht in het winkelcentrum van Årvoll en trokken die naar huis op de slee die Essi bij het ijsvissen gebruikte, toen ongeveer halverwege de Travervei bleek dat Linda niet wist wat cadeautjes waren.

'Wat zijn cadeautjes?' vroeg ze heel stilletjes, nadat mijn moeder en ik enthousiast hadden gepraat over verlanglijstjes en over onze torenhoge verwachtingen van wat we zouden krijgen; mijn moeder die dit jaar zo opgelucht was omdat ze niet hoefde te denken aan waar ze maar aan dacht in verband met haar familie in Torshov en vanwege Kristian die niet alleen stipt de huur voor december had betaald, maar die haar ook een voorschot voor januari had gegeven, zodat ze wat meer armslag had in de kersttijd, zoals hij zei.

De betekenis van Linda's vraag drong langzaam maar zeker door tot haar, maar niet tot mij, en ook al had ik het moeten snappen toen ik mijn moeders spierwitte gezicht zag, ik presteerde het toch er uit te flappen: 'Weet jij niet wat cadeautjes zijn, ben jij dom of zo?'

Toen klonk er iets wat ik nog nooit had gehoord: 'Nu hou je je kop, Finn, anders wurg ik je.'

'Zij zegt *geschenken*!' riep ik onbeheerst. '*Geschenken* snapt ze wel! Toch, Linda, *geschenken* snap je toch wel?'

We staarden Linda vol verwachting aan. Maar er was geen teken dat er iets begon te dagen. Geschrokken van alle opschudding had ze mijn moeders twee vingers weer in een ijzeren greep genomen, ze boorde haar blik in de eeuwigheid en wilde naar huis.

De rest van de dag bestond uit lange troostende monologen van mijn moeder, dat je kerst op heel veel manieren kon vieren, daar hoefde Linda zich het hoofd niet over te breken, sommige mensen gaven elkaar cadeautjes, anderen niet, er waren zoveel uitzonderingen op de regel in deze wereld en als Linda eenmaal snapte waar het om ging, zou zij zich vast ook wel verheugen op de cadeautjes die zíj binnenkort zou krijgen.

Het ging ook niet zo goed met de kerstmandjes die ze zou vlechten, maar ik liet haar zien hoe ze een eierdoos kapot moest knippen en twee toppen op elkaar moest lijmen en ze met waterverf moest beschilderen zoals ik tijdens knutselen op school had geleerd en hoe je er naaigaren aan vast moest maken zodat je ze in de kerstboom kon hangen.

Terwijl we daarmee bezig waren, wierp mijn moeder me opeens een van haar nieuwe blikken toe die betekende dat ze me onder vier ogen wilde spreken, waarna Linda achterbleef in de keuken, verdiept in haar eierdozen.

In de woonkamer boog ze zich tot vlak bij mijn oor en vroeg of ik vond dat we Linda's moeder een kerstkaart moesten sturen, wij hadden er namelijk een van haar gekregen, met een hoekig handschrift en, dat was vraag twee, of we die aan Linda moesten laten zien, want er stond niks aardigs op, alleen maar Vrolijk Kerstfeest en Gelukkig Nieuwjaar, met voorgedrukte letters en ze kon ook niet lezen, nog afgezien van het feit dat ze het nooit over haar moeder had, ook niet als mijn moeder naar haar vroeg, iets wat ze daarom ook niet meer deed.

Ik hoefde niet eens na te denken om met een overtuigd nee op beide vragen te antwoorden. Bovendien was het 22 december en ik wist dat de post nogal traag was in dit land, dat hadden we gemerkt toen onze advertentie in de krant stond.

Mijn moeder keek me eerst verbaasd aan, toen verwijtend en toen schakelde ze plotseling over op haar nieuwe warmte. Ik kreeg zelfs een knuffel en werd teruggeduwd naar de keuken, waar Linda over haar derde kartonnen bal gebogen zat, die zwart was, vermengd met wat uitlopend geel.

'Je moet wachten tot het droog is voordat je eroverheen verft,' zei ik. 'Kijk, zo.'

Ik liet het zien, en Linda keek toe. Deed me na. Maar nu ze eenmaal op gang was gekomen, bleek ze niet meer zo gemakkelijk te stoppen, al probeerde moeder dat later die avond wel: we hadden plek voor vier, hoogstens vijf eierdoosballen in de boom, er moest immers nog zoveel ander moois in, gekochte ballen, glitter en lichtjes en mandjes en vlaggetjes en een paar vogels met een vuurstaart. Ik kreeg het gevoel dat het net zo was als met het lezen, dat wat ze deed tot in het oneindige herhaald moest worden en daar werd ik erg onrustig van. Dat gold denk ik ook voor mijn moeder, want die zei plotseling dat we nu naar het balkon gingen om naar de kerstboom te kijken, die natuurlijk pas morgen in de woonkamer zou komen te staan, want dat was traditie hier in huis, preekte ze met haar sprookjesstem: op 22 december in de kou in de deuropening naar het balkon staan om de nieuwe kerstboom te bewonderen voordat die naar binnen werd gehaald, terwijl de sneeuw van het balkon dwarrelde van Arnebråten een verdieping hoger, waardoor de boom eruitzag alsof hij uit een Disney-film kwam.

Dat was uiteraard een afleidingsmanoeuvre. Ik snapte de hint, bleef achter in de keuken en ruimde al onze rommel op zodat alleen de acht ballen van Linda op een rijtje op de tafel stonden, ik moest toegeven dat de zwarte met de uitgelopen gele verf eigenlijk de mooiste was. Toen ze weer binnenkwamen en mijn moeder rillend zei dat we onszelf nu zouden verwennen met chocolademelk, kostte het Linda geen enkele moeite om haar aandacht te verplaatsen naar de avondboterham die vandaag een boterham extra telde, in haar geval met komijnekaas.

We versierden de boom op 23 december, mijn moeder op een krukje, ik op een ander en Linda op de grond, zodat haar ballen een soort rokje rond de boom vormden als de planeten in een rommelig zonnestelsel, iets dat Linda ook nooit eerder had gedaan. Dus werd het weer een fijne avond die in geval van de kleinste verspreking van mijn kant net zo goed in een ramp had kunnen eindigen en mijn moeder was in een erg goed humeur nu Kristian bij zijn familie was en we het huis voor onszelf hadden.

Op 24 december speelde ik 's ochtends een paar uur met Linda buiten op straat. Voor het eerst. Broer en zus. Ook dat ging redelijk goed, ook al was ik wat nerveus en Anne-Berit, het binnenmens, maakte er een heel spektakel van dat Linda niet zelf sleetje reed zoals ze zou moeten doen, maar de hele tijd bij mij op de slee wilde zitten. Dat mocht natuurlijk, maar het had wel tot gevolg dat ik me moest inhouden en er waarschijnlijk nog hulpelozer uitzag dan anders. Als een van de andere kinderen iets tegen haar zei, gaf ze geen antwoord.

'Hé, hoe heet jij?'

'Ze heet Linda.'

'Ben je hier op bezoek?'

'Nee, ze woont hier.'

'Waar dan, bij jullie?'

'Ja.'

'Ben jij Finn z'n zusje?'

Daar gaven we geen van beiden antwoord op.

'Mijn moeder zegt dat je Finn z'n zusje bent.'

'Die van mij ook.'

'Is dat waar, Finn?'

Stilte.

'Bèh, Finn geeft geen antwoord. Is dat je zus, Finn, zeg 'ns iets!'

'Waar is die verdomme dan al die tijd geweest?'

Een jongen die Freddy 2 heette, zei vlak voor haar gezicht: 'Kan jij niet praten of zo?'

'Nee,' zei Linda zacht en iedereen lachte, Freddy 2 het hardst, hij had die naam gekregen omdat er maar liefst drie Freddy's bij ons in de straat woonden, van wie alleen Freddy 1 persoonlijkheid had.

'Misschien ben je alleen doof?' wilde Freddy 2 weten.

'Ja,' zei Linda.

Daar moesten ze nog harder om lachen. Maar het was ook een goed antwoord, dat verdere vragen voorkwam, voorlopig.

We sleeden nog een paar keer naar beneden, tot steeds groter plezier van Linda, want we bleven steeds op de kleinste helling, vlak voor het huis. Als we beneden bij de rotonde tot stilstand kwamen, pakte ze mijn want beet met zo'n beetje dezelfde greep als waarmee ze mijn moeder had vastgehouden, daarna liepen we naar boven en sleeden weer naar beneden. Maar toen kwam een genie op het idee om te vragen: 'Hé, hoe heet jij eigenlijk?'

'Ze heet Linda, zei ik toch!'

'Kan ze niet praten of zo?'

'Zeg 'ns wat, Linda!'

'Wil je een snoepje, Linda?'

'…'

Toen we een paar uur later weer binnenkwamen, bevroren en murw en met bungelende ijsklonten aan onze truien, sokken, sjaals en mutsen, moest mijn moeder de veters van onze laarzen openbreken en ons knuffelen en ze was aardig, zei dat Linda nu in bad mocht, ze was ijskoud, de stakker, en ze was dol op badderen, of niet?

'Jawel.'

Toen ze na een poosje in de badkuip zat te spelen met haar nieuwe eendje, een pre-kerstcadeautje waar ze er onderhand heel veel van had, vooral kleren, en mijn moeder de tafel dekte en afruimde en opnieuw dekte en afruimde en steeds een ander tafelkleed koos tot het uiteindelijk een wit werd, zei ze tegen mij: 'Ik zag jullie plezier hebben met de slee.'

'Ja hoor.'

'Jullie speelden met de andere kinderen, zag ik?'

'Mmm ...'

'Dus het was leuk, begrijp ik ...?'

'...'

En omdat je volwassenen maar niet aan hun verstand gepeuterd krijgt wat sommige kinderen voor idioten zijn, steeg ook dit gesprek naar het niveau van Freddy 2, tot ik haar verliet en op mijn knieën voor de televisie ging zitten en op de aan-knop drukte omdat ik wist dat er een tekenfilm met Japie Krekel op was. Maar ik was er nog geen paar minuten in verdiept of er werd aangebeld.

'Kun jij even kijken wie dat is, Finn, volgens mij is het beneden.'

Het was boven.

Het was oom Tor, die anders nooit bij ons op bezoek kwam, ook al werkte hij vlakbij in Hesteskoen, onder andere, dat we vanuit ons keukenraam konden zien, maar die nu met een missie kwam, zoals hij het noemde toen hij in zijn kelnersoutfit voor de deur stond met een borrelglimlach op zijn gezicht en Brylcreem in zijn blonde krullen: 'En Finn, heb je een beetje zin in Kerstmis?'

'Eh, ja ... dat is immers vandaag.'

'Ja, toch.'

'O, ben jij het?' zei mijn moeder achter mijn rug, frunnikend aan een oorbel, maar niet zonder haar kritische blik die ongetwijfeld – net als de mijne – registreerde dat de gast daar zonder ook maar één kerstcadeautje in zijn handen stond, oom Tor die me de ene kerst een paar dure ski's kon geven en de volgende kerst helemaal niks, omdat hij blut was, wat hij dan ook ruiterlijk bekende met zijn parelwitte charme. Oom Tor was volgens mijn moeder het familielid dat nooit volwassen zou worden, hoe oud hij ook werd en die daar ook een zeker recht op had, ja, die eigenlijk zolang ik hem kende van mijn leeftijd was geweest. Hij was hier om ons op te halen, zei hij, de auto stond buiten te wachten.

'De auto?'

'Ja, de taxi.'

Mijn moeder holde naar het raam.

'Ben je helemaal gek geworden, laat je daar een taxi staan wachten terwijl de meter loopt?'

'Ja, zijn jullie dan niet klaar?' vroeg Tor onnozel terwijl hij om zich heen keek en goedkeurend naar het behang en de bank en de kerstboom knikte en misschien nog wel het meest naar de televisie die moeder nu uitzette om vervolgens voor het scherm te gaan staan met haar handen op haar heupen en een ijzeren blik.

'Hebben jij en Bjarne dit bedacht?'

Toen gebeurde hetzelfde als altijd, oom Tor plofte neer op de bank en zuchtte en frunnikte aan de vouw in zijn terlenkabroek en wapperde wat met zijn hand, zogenaamd om zijn horlogebandje naar zijn pols te laten zakken.

'Ja,' zei hij terwijl hij een blik op de wijzerplaat wierp.

'Hier hebben we het toch al over gehad,' zei mijn moeder verwijtend.

'Ja,' zei oom Tor weer en hij keek steels naar mij, bedacht blijkbaar dat hij moest glimlachen, deed dat ook, werd weer serieus en bleef zitten alsof het feit dat hij hier zat al voor zichzelf sprak.

Mijn moeder zei niks meer, maar ik zag aan haar gezicht dat ze de situatie niet alleen meester was, maar er misschien zelfs van genoot. Ze liep naar de slaapkamer en haalde haar beurs.

'Jij hebt geen geld bij je om die taxi te betalen, of wel?'

'Eh … nee,' zei oom Tor en hij keek weer naar het behang.

'Hier. Doe de anderen de groeten en veel plezier.'

Tor stond al overeind.

'Oké, zusje, jij wint. Zoals altijd.'

Hij stak zijn duim op, nam het bankbiljet aan en liep naar de hal. Maar toen schoot hem iets te binnen.

'Eh ... misschien kan ik het meisje ook even gedag zeggen, nu ik hier toch ben?'

'Ze zit in bad,' zei mijn moeder kortaf en oom Tor sloeg zijn ogen neer en bestudeerde zijn kerstpak, slecht op zijn gemak.

'Ja, ik had natuurlijk eigenlijk een cadeautje voor haar moeten meenemen.'

'Ja, eigenlijk wel.'

Er verstreken nog een paar pijnlijke seconden voordat oom Tor ons een van zijn succesnummers liet zien – drie snelle pasjes op het linoleum, waarbij hij zich naar mij toe boog om te schijnboksen: 'Denk aan je voetenwerk, jongen, denk aan je voetenwerk ...'

Waarop hij de deur opendeed, ja, ja zei en de trap af liep.

'Sodeju,' zei mijn moeder en ze beende naar de keuken, draaide zich om, liep terug en zei alsof ze een elitetroep moest bemannen: 'Kom, Finn, ga je eens opknappen, dit jaar moet je er mooier uitzien dan ooit, jij én Linda.'

We visten Linda uit het badwater dat ondertussen behoorlijk koud was geworden, zo koud zelfs dat ze rilde en klappertandde. Maar ze lachte toen mijn moeder haar door de handdoek heen kietelde, die fraaie, bijna geluidloze trillertjes die we nog maar één keer eerder hadden gehoord. En we zagen er inderdaad mooier uit dan ooit, en stijver. Dat was geen probleem voor Linda, die zoals gewoonlijk rustig op haar plaats bleef zitten. Maar ik kon niet rustig aan tafel blijven zitten om te genieten van de maaltijd, die we ook vandaag in de keuken nuttigden, geen ribstuk dit jaar, maar gebraden ham met veel jus.

Ik mocht de namen op de pakjes voorlezen, omdat ik van ons allemaal het best las. En het is merkwaardig wat voor een onthullend beeld je van het leven krijgt als je zo met een schurende overhemdkraag naast een fonkelende kerstboom staat en de namen op de pakjes leest en telt wie je in deze wereld kunt vertrouwen en wie niet. Oma scoort bijvoorbeeld niet erg hoog dit jaar, Linda en ik krijgen elk een spel kaarten en mijn moeder niks. Oom Bjarne en tante Marit geven zoals altijd mooie cadeaus, maar ook van hen krijgt mijn moeder niks terwijl ze vroeger op zijn minst om het jaar een loodzwaar siervoorwerp kreeg dat duurder was dan wat zij zich ooit zou kunnen veroorloven.

Alleen van oom Oskar kregen we allemaal wat ons toekwam, Linda een puzzel die ze niet in elkaar kon zetten, ik een sterk vergrootglas en mijn moeder een primus. Maar daar haalde ze alleen maar haar neus voor op, al had ze zelf gezegd dat ze er graag precies zo een wilde hebben nadat de oude primus vorige herfst de geest had gegeven toen we tijdens het bessen plukken in het bos hadden gepicknickt.

Kristian had ook cadeautjes voor iedereen. Mijn moeder kreeg een broche die haar sprakeloos en prikkelbaar maakte en waardoor ze werd opgeslokt door allesbehalve datgene waar we mee bezig waren. Linda kreeg schaatsen en ik twee boeken, deel achttien van *De Vijf*-serie, en de *Wie-wat-waar* van dat jaar. In dat laatste boek zat een boekenlegger en waren een paar zinnen onderstreept over het snel om zich heen grijpende televisiekijken: 'Men heeft ontdekt dat begaafde kinderen al snel weer boeken en tijdschriften gaan lezen in plaats van hun vrije uren voor het scherm door te brengen, terwijl de iets minder begaafden een toenemende belangstelling voor de televisie aan de dag leggen ...'

'Wat wil hij daarmee zeggen?' vroeg mijn moeder. Ze trok het boek naar zich toe, las de tekst en fronste haar wenkbrauwen, gaf het toen terug om zich weer te concentreren op de merkwaardige broche waar, zoals ik door het vergrootglas van oom Oskar kon zien, 585 K op stond, het was een haasje dat zijn pootjes voor zijn ogen had geslagen.

Linda bleek de meeste cadeautjes te krijgen, onder andere van mij. Maar dat gaf niet, want het waren vooral kleren die steeds weer moesten worden gepast en uitgetrokken terwijl we marsepein en gebak aten en veel lachten tot ze met haar schaatsen en al haar kleren aan op haar bed in slaap viel en ik zelf ook bijna wegdoezelde na slechts drie bladzijden gelezen te hebben in dat saaie boek van Kristian, waar in elk geval wel een foto van Joeri Gagarin in stond, toen mijn moeder helaas de kamer binnenkwam met tranen in haar ogen en fluisterde dat het vreemd was geweest, zo alleen, of niet? Daar zei ik niet zoveel op, we waren in wezen nooit met zoveel.

Maar zoals zo vaak als ze me iets wil toevertrouwen, kwam er eerst iets uit wat niks met de zaak te maken had; nu was het de vraag wat ze daarginds bij de familie in de loop van de avond wel niet over haar gezegd zouden hebben, iets waar ik me ook niet echt druk om kon maken.

Pas tussen kerst en oudjaar kwam het eigenlijke probleem boven tafel. We waren nu met zijn drieën. Het probleem was dat Linda nog niet naar school ging en het was uitgesloten dat mijn moeder haar baan in de schoenenwinkel eraan gaf, ze zou eerder een volledige baan moeten nemen. En de kleuterschool verderop achter de kerk had onze aanvraag afgewezen, misschien dat ze in de loop van het voorjaar plek hadden, jazeker, maar wat moesten we in vredesnaam in de tussentijd doen?

Ook dat was geen vraag aan mij, mijn moeder had zelf al een oplossing bedacht.

'Hoe zie ik eruit?' vroeg ze, het was vierde kerstdag, iets na drieën, 's middags.

Ze had zich opgemaakt en droeg haar schoenenwinkeljurk en nu trok ze ook haar netste jas aan, vroeg mij op Linda te passen en liep de deur uit om bij Blok 1 te beginnen en van blok naar blok te lopen en op alle bellen te drukken om iedereen prettig kerstfeest te wensen en te vragen of er iemand woonde die dit voorjaar misschien zes, zeven uur per dag op een klein meisje wilde passen? Ze hoefde niet verder te lopen dan Blok 7 om de juiste persoon te vinden, een twintigjarige die Eva Marlene heette, maar die wij daarna alleen maar Marlene noemden en die 's avonds in een restaurant in de bediening werkte en 's ochtends alleen maar thuis bij haar ouders lag te slapen. Marlene leek een prima meid, al rende Linda meteen weg om zich te verstoppen toen ze op bezoek kwam.

'Zeg eens dag tegen Eva Marlene, Linda, die blijft bij jou als ik aan het werk ben.'

Dat werkte niet echt en ik kan niet zeggen dat ik haar dat kwalijk nam, zoals zij van het ene vrouwmens naar het andere was doorgeschoven en nummer drie alweer werd geïntroduceerd terwijl ze nog maar nauwelijks gewend was aan nummer twee. Maar Marlene, die op het eerste gezicht misschien wat zweverig leek en uitermate trouwrijp naar alle plamuur te oordelen, bleek stoer en nuchter, een realist die dus merkwaardig genoeg in dezelfde lichtzinnige branche werkzaam was als oom Tor, de sprookjesbranche zoals mijn moeder het noemde, waar de dromen en de waanzin twee kanten van dezelfde medaille waren.

'Ach, die went nog wel aan me,' zei Marlene tegen het dekbed waaronder Linda zich verstopt had en ze begon om zich heen te kijken, waarschijnlijk om zich een beeld te vormen van hoe het zou zijn om haar dagen hier bij ons door te brengen. 'Ik heb drie jongere broertjes en zusjes, dus ik ben kleine kinderen wel gewend.'

'Die zullen we wel niet lang bij ons kunnen houden,' zei mijn moeder opgewekt toen Marlene na drie kopjes koffie weer was vertrokken en doelde daarmee zowel op haar huwbaarheid als op haar sympathieke voorkomen. 'Laten we hopen dat ze het tot maart uithoudt ... Ja, als we heel veel mazzel hebben misschien tot ...'

Enzovoort, want geluk hebben leidt slechts tot nieuwe zorgen.

Maar zo eindigde dus het jaar van de Berlijnse Muur en van de televisie en vooral dat van Joeri Gagarin, het jaar dat net als alle andere jaren begonnen was, maar dat door zoiets prozaïsch als een combinatie van opknapdrift en armoede mijn moeder had veranderd van een gescheiden weduwe in een hospita en alleenstaande moeder van twee kinderen, en mij van enig kind tot een van de twee kinderen in een stapelbed, om nog maar te zwijgen van wat dit jaar voor Linda betekend moest hebben. Maar daar wisten we nog niet zoveel van. Er gebeurt sowieso nogal veel in het leven waar je niets van snapt, als je eerlijk bent; nog een godsgeschenk, zoals mijn moeder altijd zegt, dat het meestal in kleine porties komt ...

8

Het nieuwe jaar begon met sneeuw. Bakken sneeuw. Op balkons
en daken en grasveldjes en straten, met springschansjes en slee-
hellingen en achter auto's hangen die slippend door de Travervei
de heuvel op reden en die niet verder kwamen dan de winkel van
Lien, waar ze hun toevlucht zochten op de Eikelundvei. En met
de buitenaardse stilte die plotseling kan neerdalen over een voorstad die juist voor het tegenovergestelde gemaakt is, voor leven
en kabaal – de stilte die zich neervlijt als de sneeuwranden hoger
worden en de auto's op de Trondhjemsvei verdwijnen en alleen de
gele daken van de stadsbussen nog zichtbaar zijn boven de witte
sneeuwhopen, geluidloos glijdende busdaken, als vliegende tapij-
ten boven de vlakten van de Sahara; dit is het platteland dat naar de
stad is gekomen, de bossen en de hoogvlakten, ik had bijna gezegd
de zee, die zijn binnengedrongen in het stedelijk experiment.

Er kon geen sprake van zijn dat we met onze sleetjes op de helling vlak voor het huis bleven, nu staken we de weg over en gingen
naar Hagan, een overwoekerde heuvel met stokoude eiken en fruit-
bomen en kruisbessenstruiken en een wit huis met maar één verlicht
raam. Daarachter zat de oude vrouw die wij Ruby noemden, ook zij
hoorde bij de eeuwigheid, net als de sneeuw en de paarden, en als je
er laat op de avond naartoe sloop, kon je een kosmisch geluid uit het
verduisterde huis horen komen dat ons als flatbewoners met stom-
heid geslagen achterliet.

En ik wilde ook weg, weg van de flat met de kleine sleehelling ervoor en misschien vooral weg van Linda die er overigens in geslaagd
was het binnenmens Anne-Berit te temmen die in de eerste weken
van januari vaker op straat was geweest dan het hele jaar ervoor en
die besloten had Linda onder haar beschermende vleugels te nemen,
een veeleisende en berekenende meesteres, deze Anne-Berit.

'Nee, nee, Linda, niet zo, kijk naar mij.'

Linda deed een paar dappere pogingen om de bevelen uit te
voeren, pogingen die werden begroet met hoofdschudden en gelach, maar ook met een tikkeltje medelijden, ze was immers zo'n

klein poppetje, gemakkelijk afgeleid, dat bovendien niet te pas en te onpas huilde, het perfecte huisdier voor Anne-Berit die schoon genoeg had van haar eigen zusjes en die Linda meenam naar de ondergespoten tennisbaan die als ijsbaan dienstdeed, waar Linda leerde rondkrabbelen op het leer van haar schoenen en waar ze verder op de sneeuwranden zat, sneeuw van haar wanten at en het publiek vormde voor Anne-Berit die pirouettes draaide op het karnemelkblauwe ijs terwijl ze 'Sånt är livet' van Anita Lindblom zong – iedereen zong die winter 'Sånt är livet' – zo is het leven – ook op elke radio en televisie kon je het horen, ik had het zelfs in de bus gehoord en op de renbaan, maar ik hoorde het vooral van Marlene die nog geen aardappel kon schillen zonder 'Sånt är livet' te neuriën.

En dus kon ik ertussenuit knijpen.

Naar Hagan, met de grote jongens.

Ik ben nooit een supersportman geweest, maar ik kan behoorlijk dapper zijn en wie niet opgeeft, wat er ook gebeurt, kan best het nodige respect afdwingen; vooral als je bovendien alle rotopmerkingen die je naar je hoofd krijgt kunt negeren.

Nu zijn er ook verliezers die proberen terug te slaan op een manier die hen alleen maar dieper in de problemen brengt, almaar meer, tot het een keer uit de hand loopt. Ik had zo'n vriend, Freddy 1; die was groot en zwaar en boos, geen haantje de voorste op school en geen haantje de voorste op straat: hij was ook niet erg goedgebekt en om de een of andere reden droeg hij altijd kleren waar iets mis mee was. Dat maakte hem juist zo herkenbaar, dat gaf hem persoonlijkheid en bezorgde hem de naam Freddy 1, vóór Freddy 2 en Freddy 3 die gewoon deel uitmaakten van de massa, ja, juist het feit dat hij groot en sterk maar sloom was, een rampzalige combinatie van te veel en te weinig in een en dezelfde persoon, maakte hem tot Freddy 1.

Als de anderen het bijvoorbeeld zat werden in visgraatpas de heuvel op te ploeteren en naar beneden te skiën om dan weer naar boven te ploeteren, en in plaats daarvan Freddy 1 begonnen te jennen vanwege zijn ski's of zijn muts of de manier waarop hij zijn voeten neerzette, dan antwoordde hij door grof te schelden en met sneeuwballen die nooit doel troffen. Als er werd teruggegooid rukte

Freddy 1 zijn ski's uit en mepte in het wilde weg om zich heen, tot groot vermaak van het gepeupel, want hij raakte immers nooit iets, hij tolde alleen maar in het rond en spuugde en huilde en maaide met zijn belachelijke houten ski's tot hij duizelig werd en met een luide boer tegen de grond sloeg. Dan verstomde het geschreeuw. Freddy 1 was neergegaan, hoera! Iedereen kwam voorzichtig dichterbij om te kijken of hij dood was. Maar Freddy 1 was niet dood. Hij lag gewoon te wachten op dit ogenblik, zijn moment van triomf.

'Ben je dood, nummer Een?'

Met zijn laatste krachten sloeg hij zijn klauwen in de laars van een van de kleinsten, trok de stakker omver, ging bovenop hem liggen en mepte hem met zijn beijsde wanten in zijn gezicht tot het bloed alle kanten op spoot of tot een van de grote jongens aan zijn sjaal trok en hem de hardhandige keus gaf tussen ofwel ophouden ofwel gewurgd worden. Meestal werd het het laatste. Freddy 1 was niet meer in deze wereld. Maar in zijn eigen wereld. De wereld van woede, snot en tranen. Niets kon Freddy 1 breken, hij hield vol en leerde het nooit. Dit was de zwaarste jeugd van de Travervei, een jeugd waar een gedenkteken voor zou moeten worden opgericht, van ijzer.

Toen ik me op zo'n opgefokte avond boven op de heuvel bij Hagan afzette en naar beneden suisde terwijl de wind en de sneeuw een aanslag pleegden op al mijn zintuigen en ik vervolgens verschrikkelijk over de kop ging waar de helling overging in het vlakke stuk, werd ik gadegeslagen door Kristian. Daar stond onze huurder namelijk met zijn jas aan en zijn hoed op en was getuige van mijn val; hij was over het veld gelopen om te zien wat de kinderen daar in het avondduister uitspookten.

Later die avond kwamen aan de keukentafel mijn skikunsten ter sprake waarop heel wat aan te merken viel, en de vraag was of ik komende zondag met Kristian wilde gaan langlaufen. We konden de trein naar Movatn nemen en dan door het bos en de heuvels van Lillomarka naar huis skiën, langs legendarische restaurantjes als Sinober en Sørskauen en Lilloseter, zoals jongens die een vader hadden dat altijd deden.

Ik aarzelde, niet in de laatste plaats omdat de enthousiaste toon waarmee mijn moeder het voorstel begroette me nogal verbaasde. Toen Kristian terugkwam na de kerstvakantie had ze hem namelijk op de man af gevraagd wat de broche die ze als kerstcadeau had gekregen te betekenen had, een aanval die hij had geprobeerd af te weren met zo'n beetje dezelfde gelaatsuitdrukking als toen hij ons tijdens de staking een doos etenswaren had overhandigd, zonder succes trouwens. Dus vanwaar nu opeens deze positieve reactie op het feit dat de man zich ten onrechte als vader wilde gedragen?

'En Linda dan?' vroeg ik.

'Die is te klein.'

'Is het zó ver?'

'Welnee.'

Eind van het liedje was dat ik ja zei. Ik zei sowieso te vaak ja in mijn jeugd, ik begon pas later nee te zeggen, al hielp dat ook niet veel. En om de een of andere reden moesten we voor dag en dauw op pad. Al om halfacht, zo bleek. Op ski's. Kristian zag er raar uit in zijn witte anorak en een merkwaardig ouderwetse knickerbocker, en hij was erg zwijgzaam in de ijskoude ochtendschemering. Op de Lofthusvei had je zowel grind als ijsplaten, dus ook al ging het alleen maar heuvelafwaarts, toch zat ik al goed stuk toen we om vijf voor acht het station van Grefsen bereikten. Het was stampvol en doodstil in de trein, een sluimerende massa mannen van alle leeftijden, alleen maar mannen, als bevangen door een bijna nationale ernst, een leger op weg naar het front. En we moesten staan, dus ik kon niet eens bijkomen. We stapten weer uit in een bijtende kou bij het meer Movann. In de sneeuw op de ijsvlakte waren de sporen mooi recht, dus was het gemakkelijk skiën. Toen begon de nachtmerrie echter, bergop.

'Daar staat tegenover dat het alleen maar naar beneden gaat als we eenmaal boven zijn,' hijgde Kristian als het heel erg steil werd.

Het probleem was alleen dat we nooit boven kwamen. Het was een ware reis naar de maan. Ik was slechts een trillende schim van mezelf toen we eindelijk het erf van Sinober op zwenkten, het eerste restaurantje, een openbaring in het kristalheldere winterlandschap. Maar daar gingen we om de een of andere reden niet naar binnen. Ik kon mijn oren niet geloven. We moesten verder. Naar Sørskauen.

Dat haalden we ook, op ons tandvlees, maar toen was ik dan ook zo kapot dat ik de zwartebessentoddy en de wafels waar Kristian op trakteerde bijna niet naar binnen kon krijgen. Ik viel met mijn mond vol eten in slaap en toen hij me weer wakker schudde vroeg ik of we hier niet konden overnachten.

'Ha, ha,' zei hij tegen de serveerster, 'het knulletje vraagt of we hier kunnen overnachten.'

'Nou ja zeg, dat zou me een mooie boel worden,' zei het vrouwmens.

Helaas kwam ik hier een van mijn maten tegen, Roger, die écht kon skiën. Maar gelukkig was hij hier met zijn oudere broers, dus hadden we allebei ongeveer even rode koppen toen we sprakeloos van uitputting naast elkaar zaten op de gladgesleten houten bank in de dampende ruimte die stonk naar natte kleren en natte mannen en rugzakken en boomschors en bessen en dennennaalden, heel die Noorse buitenshuisstank die me altijd doet denken aan armoede en vaders. Gelukkig werd Roger eerder dan ik naar buiten gesleurd.

Maar toen we al onze wafels en toddy hadden verorberd, konden we, hoe vurig ik ook smeekte, niet meer met goed fatsoen blijven zitten en zo een plek bezet houden terwijl er steeds nieuwe horden kreunende mensen door de deur naar binnen vielen, met luide stemmen en lawaaiige bergschoenen, met damp en zweet, ijs en sneeuw en een wollen storm van adem die ze tientallen kilometers door de ijskoude werkelijkheid hadden opgeschrokt, als hongerige haaien, om vervolgens de hele handel hier naar buiten te blazen, in deze veel te kleine hogedrukpan, dit lage houten hutje. Dit was het grote Noorse winterbeest. De beer die nooit slaapt, maar rukt en trekt en veel lawaai maakt, zowel in zijn eentje als met anderen, domweg om niet dood te vriezen, al die dingen die ik dus gemist had omdat ik geen vader had.

Er zat met andere woorden niets anders op dan op te stappen en verder te stampen, onverbiddelijk, met een nieuw laagje wax onder mijn ski's, dat wel. Maar de grip of het glijvermogen was het probleem niet, het was mijn lichaam. Ik was nu zo stijf en koud na het genadeloze bakken bij de houtkachel daarbinnen, dat ik de hele weg naar Lilloseter wafels en zwartebessentoddy opboerde. Kristian moest zowel medelijden als hoongelach gebruiken om me overeind te houden, kilometer na kilometer. Toen we eindelijk aankwamen in Lilloseter – het laatste station op onze sociaal-democratische via dolorosa – en bleek dat we daar ook niet naar binnen zouden gaan, had ik het in elk geval weer warm en was ik al het eten kwijt.

Bovendien ging Kristian in de afdaling naar Breisjøen twee keer ondersteboven. Ik viel zelf ook, maar zijn valpartijen waren omvangrijker, tijdrovender zou je kunnen zeggen, het zal wel iets met leeftijd te maken hebben gehad. Kristian was niet het type dat viel, eerder iemand die zelf bepaalde wanneer hij onderuitging en nu was hij verslagen door natuurkrachten. Maar toen we eindelijk boven op de Årvollheuvel trillend op onze stokken hingen en we naar beneden tuurden, naar de schietbaan van Østreheim, was in elk geval zijn honende grijns verdwenen. En dat niet alleen. Hij had een geheel nieuwe uitdrukking op zijn gezicht. Ik geloof dat het verbittering was, al slaagde hij erin een grimlach op zijn gezicht te toveren toen hij zei dat hij ergens met me over wilde praten: dacht ik dat mijn moeder er iets op tegen zou hebben als hij gasten op zijn kamer ontving?

Een merkwaardige vraag, aan mij, en pas na wat duwen en trekken snapte ik dat het om een vrouw ging, of zij een paar dagen kon blijven logeren.

Ik antwoordde dat ik dacht van niet.

'Dat dacht ik al,' zei hij terwijl hij zijn blik weer op Oslo richtte, daar onder ons. 'Wat wil ze nou eigenlijk?' mompelde hij.

Daar kan een zoon geen antwoord op geven, ik wist niet eens zeker of hij het over mijn moeder had. Maar toen zei hij: 'Hoe zit het met dat meisje, is die misschien … achterlijk?'

Ik hoorde nu luid tromgeroffel en zag regenbogen mijn gezichtsveld omlijsten. Ik haalde diep adem, pakte mijn stokken steviger vast, zette af en wist de hele weg naar beneden op de been te blijven, langs de schietbaan en de Østreheimsvei, maar hij haalde me natuurlijk in en trok me omver in de sneeuw: 'Verdomme, Finn, je snapt er helemaal niks van!'

De huurder was een monster geworden.

'Zijn jullie nu al terug?' vroeg mijn moeder toen we eindelijk de flat binnentuimelden.

Maar ik had niet veel te vertellen over de tocht, ik had het warm, was in mezelf gekeerd en was aan het eind van mijn Latijn, ik had hulp nodig om mijn schoenen uit te krijgen en beende naar de slaapkamer in een soort onduidelijke, bijna fysieke poging om niks te zeggen. Misschien probeerde ik zelfs wel te geloven dat ik dat vreselijke woord niet gehoord had. Maar daar lag Linda op haar buik op het onderste bed een paard te tekenen, een wezen dat alleen mijn moeder en ik konden identificeren en als je in deze wereld geen paard kunt tekenen, dan ben je gedoemd ten onder te gaan, dan zink je als een visserslood en in het schetsboek dat ik haar met kerst had gegeven stond op elke bladzijde een onbegrijpelijk paard, want ze was dol op paarden, paarden die leken op mieren of olifanten en weet ik wat allemaal nog meer. Ze glimlachte en zei: 'Koud?'

En ik brulde: 'Kun je niet eens normaal tekenen, verdomme!'

Maar nog voordat het trillen van haar onderlip kon overgaan in huilen, stond mijn moeder daar al te schreeuwen: 'Hoe haal je het in je hoofd, Finn!' En toen bleek dat vreselijke woord natuurlijk helemaal niet vergeten.

'Hij noemde haar achterlijk!' blèrde ik en zag op datzelfde moment een nerveuze Kristian achter het lijkbleke gezicht van mijn moeder opdoemen.

'Wat?' zei ze bijna onhoorbaar. Het werd stil.

'Die jongen zegt maar wat,' riep Kristian, rood aangelopen, skiloper en idioot. 'Niet naar hem luisteren.'

Maar mijn moeder heeft de macht om haar omgeving te bevriezen. En omdat Linda de enige normale van ons was, sloeg ze gewoon de bladzijde om en fröbelde verder met haar kleurpotloden terwijl Kristian en ik in stramme geef-acht-houding mijn moeders nauwelijks verstaanbare woorden hoorden.

'Hóé noemde je haar?'

Kristian hief zijn armen ten hemel, liet ze weer vallen en probeerde een oom Tor te doen, fluisterde zelfs, vanwege Linda neem ik aan: 'Maar jij moet toch zelf ook zien dat het kind hulp nodig heeft, ze praat immers niet.'

'Hóé noemde je haar?'

Het was gedaan met alle ruggengraat. Kristian haalde een hand over zijn voorhoofd en deed iets wat mij nooit echt wil lukken, hij zei 'het spijt me' en hij zag eruit alsof hij het meende.

'Het spijt me. Het is echt een faux pas van me. Maar ... nee, dat is geen excuus, ik weet het.'

Hij draaide zich om als de schuldige man die hij tot in elke vezel was en liep stilletjes naar zijn kamer; mijn moeder bleef staan als een stalen veer, zwijgend en vreemd tot ik haar aanraakte, aan haar schudde en trok.

'Faux pas?' klonk het, alsof ze ver weg was.

Ik wist niet wat dat betekende. Maar toen werd ze weer wakker.

'Die man kan vertrekken!'

Ik knikte enthousiast.

'En Linda tekent paarden zoals zij dat wil, Finn, laat ik je dat zeggen!'

'Ja, ja, maar ...'

'Maar wat?'

'Ik moet haar toch ... íéts leren.'

Toen was mijn moeder ook aan het eind van haar Latijn. Ze liet zich naast Linda op het bed ploffen, legde haar handen in haar schoot, knikte langzaam en mompelde ja, ja voor ze weer naar mij keek, alsof ze me nu pas ontdekte of zag in welke toestand ik me bevond, met knalrode wangen en een vrijwel uitgeput lichaam.

'Hoe was de skitocht?' vroeg ze.

'Ik heb honger,' zei ik.

'Ga even liggen,' zei ze. 'Dan maak ik eten.'

Ik ging liggen. Maar niet even. Ik werd pas de volgende ochtend vroeg wakker.

9

Ik rilde van de kou, had moeite met ademhalen en voelde een on-draaglijke pijn in mijn borst. Wat ik nog aan armen en benen had, leek in een loden omhulsel gegoten. Ik kon niet opstaan en was gedwongen met hese stem te roepen tot mijn moeder wakker werd in de ochtend-duisternis.

'Ik heb het zo koud.'

'Je hebt toch een dekbed,' mompelde ze slaapdronken.

'Ik … kan niet opstaan.'

'Waarom zou je ook opstaan, het is nog maar …?'

'Ik moet naar de wc.'

'Ga dan.'

'Kán ik niet, zeg ik toch.'

Toen stond mijn moeder naast mijn bed.

'Hoe bedoel je, kom op, opstaan!'

'Lukt niet,' zei ik en ik wees naar de plek waar volgens mij mijn hart zat. Mijn moeder vroeg zich af wat ze moest doen aangezien ik met een behoorlijk geloofwaardige gil terugdeinsde zodra ze me daar aanraakte. We zijn namelijk nooit ziek in dit gezin; ziekte wordt met de grootst mogelijke scepsis bekeken, dat heeft mijn moeder van thuis meegekregen waar iedereen te pas en te onpas 'ging lig-gen'. Ja, zelfs oom Bjarne had de neiging om af en toe de handdoek in de ring te gooien en te gaan 'kuren', iets waar we dan schriftelijk door oom Oskar van op de hoogte werden gesteld, nieuws waar mijn moeder altijd verachtelijk om moest snuiven, maar dat tijdens de kerstvieringen nooit ter sprake kwam; het zou toch heel normaal geweest zijn om bijvoorbeeld te vragen: 'En, Bjarne, hoe was de kuur?'

Er werd nooit over gesproken.

Mijn moeder keek me streng aan.

'Dat is niet je hart, liefje, dat zijn je longen.'

Nadat ze 'die vervloekte huurder met z'n vervloekte skitocht' had gemompeld en ze had herhaald dat die man kon vertrekken, gaf ze me een thermometer die ik eerst onder mijn oksel moest steken en daarna in mijn mond. Maar die wees slechts 37 graden aan en ik had nog steeds pijn.

'Ik krijg geen adem,' zei ik. Mijn moeder zei 'blijf hier', kleedde zich aan, liep de deur uit en stak de straat over naar de telefooncel bij de winkel van Omar Hansen om een dokter te bellen. Toen die kwam, was ik naar Linda's bed verhuisd terwijl Linda op haar buik op het bed van mijn moeder lag toe te kijken hoe ik werd onderzocht.

Hij heette dokter Løge en hield praktijk op de Lofthusvei. Hij vroeg me te gaan zitten, ook al deed dat pijn, en klopte met zijn knokkel en een paar harde, koude vingertoppen op mijn borstbeen en mijn rug, luisterde met zijn stethoscoop, kneep zijn ogen tot spleetjes, nam me van onder zijn witte wenkbrauwen op, trok de stethoscoop uit zijn oren en keek mijn moeder vragend aan.

'Het lijkt erop dat hij twee of drie gekneusde ribben heeft, is hij gevallen?'

'Ribben?'

'Ja, of ze zijn gebroken, dat zien we later wel op de röntgenfoto.'

'Ben je gisteren gevallen, Finn?'

Ja, natuurlijk was ik gevallen, ik viel altijd.

'Maar ik heb me geen pijn gedaan.'

'Je breekt toch zeker geen twee ribben door gewoon te langlaufen!'

Dokter Løge keek me met hernieuwde belangstelling aan, hij was waarschijnlijk ergens halverwege de vijftig en loerde over het randje van zijn dubbelfocusbril.

'Misschien was het een lange tocht?' vroeg hij glimlachend.

'Ja, best wel.'

'Dat is het belachelijkste wat ik ooit heb gehoord,' hield mijn moeder koppig vol. 'Heeft hij je geslagen?'

'Wie?'

'Kristian natuurlijk, geef antwoord!'

'Neeee ...'

'Waar hebben jullie het over?' vroeg dokter Løge snel.

'Niks,' zei mijn moeder. Ze drukte haar armen tegen haar borst en beet op haar lippen. Toen viel haar oog op Linda en sloeg ze haar hand voor haar gezicht alsof ze het niet meer aankon, en ik was bang dat er nu weer iets onbegrijpelijks, iets ondraaglijks ging gebeuren. Ik begon bijna te hopen dat ze zou instorten, zodat dat maar weer achter de rug was, maar ze bleef gewoon staan en dokter Løge bleef zitten met zijn borstelige wenkbrauwen en zijn heldere, vragende blik achter zijn matte bril die de poriën in zijn huid in grote kraters veranderde, tot mijn moeder plotseling met uiterste krachtsinspanning zei: 'Nou, ik moet er nu echt vandoor. We moeten …'

'Maar de jongen moet röntgenfoto's laten maken.'

'Dat moet Marlene maar regelen,' zei mijn moeder droog. 'Ik moet naar mijn werk. Sta op, Linda en kleed je aan. Heb je honger, Finn?'

'Een boterham met bruine geitenkaas, misschien?'

Dokter Løge keek van de een naar de ander en besefte dat dit geen doktersvisite was, maar een audiëntie en dat zijn tijd erop zat.

'Hoeveel krijgt u voor … de visite?' vroeg mijn moeder.

Hij stopte de stethoscoop in zijn tas, pakte zijn jas, legde hem over zijn knieën en bleef zo naar Linda zitten kijken die met Amalie lag te spelen terwijl mijn moeder naar de keuken liep. Hij glimlachte, legde een hand op haar wang en vroeg hoe ze heette, iets waar ze geen antwoord op gaf, ze liet hem alleen de pop zien; Amalies operatiewond was nu gehecht, haar losse been was weer vastgenaaid en ze was voorzien van nieuwe knopenogen.

Ik kreeg mijn boterham en een glas melk op het moment dat er werd aangebeld en Marlene binnenkwam, met appelwangen en een glinsterend sneeuwlaagje op haar gelakte haar dat ze nooit onder een muts of een hoed verstopte. Marlene was in heel korte tijd mijn moeders steun en toeverlaat geworden en werd nu fluisterend in de situatie ingewijd, neem ik aan. Ik hoorde zelfs een korte uitbarsting in de hal, met geluiddemper zogezegd, een 'ik kan niet meer!' van mijn moeder, 'dus als jij zou willen?'

Even later riep ze tegen dokter Løge, die nog steeds zijn jas niet had aangetrokken: 'U hebt nog geen antwoord gegeven op mijn vraag, dokter?'

'Het is wel goed zo,' antwoordde hij bedaard. Hij stond op en liep de kamer uit met in zijn hand een pen en een schrijfblokje met witte bladzijden en blauwzwarte velletjes carbonpapier die zacht-jes ritselden als dorre bladeren, dacht ik terwijl ik krampachtig kauwde en geen hap naar binnen kreeg. Het is herfst ook al is het winter, dacht ik en ik voelde dat ik de melk ook niet weg zou kun-nen krijgen terwijl ik toch dol ben op melk. Toen de buitendeur achter mijn moeder dichtsloeg en ik op de wekker op haar nacht-kastje zag dat het al tien uur was, besefte ik dat Marlene laat was vandaag, of dat mijn moeder zich had verslapen en dat ik moest overgeven.

Maar toen kwam Marlene de slaapkamer binnen, ze was vrolijk en nog steeds omgeven door een intense winterkou; ze ging op de rand van het bed zitten en vroeg hoe het ging, aaide over mijn haar, maakte grapjes, beet in mijn boterham en zei wat ik al wist, dat we een röntgenfoto moesten laten maken, een uitstapje naar de stad, dat was toch leuk, met Linda?

Ja hoor.

Het lukte me om op te staan. Ze kleedde ons allebei aan en we liepen richting stad op een tijdstip van de dag dat de velden als een groot laken rond het enorme ziekenhuis lagen waar alle kinderen dood zijn en met open, geluidloze monden lachen. Ik kon bijna niet lopen en nauwelijks ademhalen, ik was duizelig, misselijk en rilde van de kou die ik moest hebben meegenomen uit de bossen.

Maar Marlene hielp me en in de bus mocht ik zitten, als een oude man, daar zorgde zij voor, al deed dat nog meer pijn dan staan en het was ver, een lange reis die ik weliswaar al vaker had gemaakt als ik naar mijn moeder in de schoenenwinkel ging, maar die nu volkomen anders was en die door wijken voerde die ik nog nooit had gezien. Toch stapten we uit bij de welbekende gasfabriek die een onheilspellende aanblik bood met zijn lange zwarte darmen aan de buitenkant en die bulderde en brandde en hijgde en aan de oorlog deed denken.

De straat over, naar de Eerste Hulp.

Ik concentreerde me uit alle macht en keek naar Marlene die voor niets of niemand haar ogen neersloeg, die de middelbare school had afgemaakt en die kort en bondig praatte en die mijn naam en die van dokter Løge noemde. Ja, dank u wel, we wachten, gaan jullie daar maar zitten. Toen liep ze weer naar buiten en ging in de rij voor de kiosk staan, zwaaide door het raam naar ons en kocht twee lolly's, een groene en een oranje, waar Linda en ik om de beurt op sabbelden omdat we allebei de oranje het lekkerst vonden en we de tijd opnamen met Marlenes horloge van puur goud waarvan zij zei dat het gewoon nep was, ha, ha.

'Maar ik heb het wel van een prins gekregen!'

Ze had zelfs een boek meegenomen, waar ze Linda fluisterend uit voorlas en elke keer dat Linda midden in het verhaal wilde dat ze ophield, begon ze weer bij het begin. Ik voelde dat ik nu mijn spieren niet meer zo krampachtig spande en kon na een poosje helemaal onderuitzakken. Ik schrok op toen iemand mijn naam riep en vertrok mijn gezicht van pijn toen ik overeind werd geholpen en met ondersteuning naar een geluidloze witte kamer werd gebracht waar ze me op een harde ijzeren stoel zetten en op een bank legden en in een geelwitte kast duwden en adem in adem uit zeiden, met uitsluitend glimlachende mensen om me heen die me vervolgens hard en ruw in een verband wikkelden dat ervoor zorgde dat ik mijn rug recht hield en dat voorkwam dat ik dieper ademhaalde dan nodig was. Daarna werd ik stijf als een plank weer naar buiten geloodst en kreeg ik een knuffel van Marlene die weer een openhartig gesprek aanknoopte met de dame achter de balie, zich naar ons toe boog en geheimzinnige gekke bekken trok alsof het haar net gelukt was iemand geweldig voor het lapje te houden en ze fluisterde terwijl ze ons de winterkou in duwde dat we nu verdorie een taxi zouden nemen, dat had zíj geregeld!

Een taxi naar huis.

Met Linda en ik op de achterbank. Marlene en de chauffeur zaten voorin filtersigaretten te roken en te praten alsof ze elkaar hun hele leven al kenden, zoals Marlene met iedereen praatte en iedereen met haar. Marlene leek voorbestemd om al het verkeerde en rare in de wereld te repareren – met haar woorden, haar schoonheid en haar rode glimlach. Ze kreeg de chauffeur zover dat hij ons tot de voordeur reed: de jongen is immers ziek. En dat veroorzaakte aardig wat consternatie, want de school bleek al uit te zijn en de zwarte Volvo waarin wij aan kwamen snorren was bijna te vergelijken met een ziekenauto. Anne-Berit vroeg Linda wat er gebeurd was, maar ik hoorde niet of ze antwoord kreeg. Ik vertrok mijn gezicht weer van pijn, was erg stijf en Marlene ondertekende een papiertje en zei tot ziens tegen de chauffeur waarna ze ons door de kinderschaar heen loodste, de voordeur door, de trappen op.

Daar bleek dat mijn moeder al thuis was van haar werk, in een geheel andere stemming dan waarin ze ons had verlaten, vrolijk en vol energie. Het eten stond al op tafel – gehaktballen en kool – en ze wilde precies horen wat we vandaag hadden beleefd en vooral hoe het met mij ging.

Tja, ging wel, ik at zoals ik nog nooit had gegeten. Maar daarna moest ik weer gaan liggen, ook nu weer in Linda's bed, het onderbed.

'Linda slaapt bij mij,' zei mijn moeder terwijl ze Linda even in haar wang kneep. Linda was één keer in mijn bovenbed geweest en had toen gegild als een speenvarken, dat kwam door hoogtevrees, dacht mijn moeder.

Ik bleef ruim een week in bed.

Dat was misschien een beetje overdreven, zeven dagen in bed vanwege een paar ribben, maar ik las de hele tijd, boeken en tijdschriften terwijl Linda stil op het bed van mijn moeder naar mij zat te kijken voor het geval ik iets nodig had, deel vier van de encyclopedie bijvoorbeeld of een glas water met bruispoeder en ik betaalde haar met papiertjes waarop ik getallen schreef en die ik bankbiljetten noemde; die verzamelde ze in een kleine schoenendoos en ik dwong haar ze bij elkaar op te tellen, er een soort boekhouding over te voeren, volkomen zinloos, maar ze wilde ze na een poosje wel op stapeltjes leggen, gesorteerd op grootte.

Ik kreeg ook bezoek, eerst van Anne-Berit die een tikkeltje teleurgesteld was dat ik in het verband zat en niet in het gips. Toen van Freddy 1 die door zijn moeder gestuurd was met twee zakjes snoep en die wat ongemakkelijk tussen al die bedden in stond en niet wist waar hij moest gaan zitten, tot ik plaats voor hem maakte in mijn bed. We aten de snoepjes op en speelden het ladderspel en mens-erger-je-niet en een kaartspel dat varkentjes heette. Linda keek toe.

'Moet zij niet meespelen?' vroeg Freddy 1.

'Nee.'

'Waarom niet?'

'Ze houdt niet van spelletjes.'

'Houdt ze niet van spelletjes?' verbaasde Freddy 1 zich en door zijn lange pony loerde hij met een nieuwsgierige grijns naar haar. Freddy 1 had altijd langer haar dan alle anderen, behalve als hij geknipt was, dan had hij korter haar dan alle anderen en zag hij er altijd uit alsof hij zijn haar gefatsoeneerd had met een handgranaat.

'Ken je dat spel niet?'

Linda gaf geen antwoord. Ze stapelde geld.

'Ik kan het je leren,' zei Freddy 1.

'Nee,' zei ik luid en hij keek teleurgesteld. 'Oké, toe dan maar.'

Freddy 1 legde het haar uit, maar Linda keek een andere kant op.

'Probeer dan maar of je ermee kan gooien,' stelde hij voor. 'Zo!'

Hij smeet de kaarten door de kamer. Dat vond Linda grappig, ze lachte zelfs, met een lach die leek op een wens die in vervulling was gegaan; ik weet niet of het haar wens was of de mijne.

Freddy 1 weigerde om de een of andere reden zijn jas uit te doen en toen hij na een poosje wegging, omdat hij bijna kookte, neem ik aan, zei mijn moeder: 'Wat is er met die jongen aan de hand?'

'Hoe bedoel je?'

'Hij is minstens twee keer zo groot als jij!'

Op zaterdagmiddag hoorde ik lawaai in de woonkamer en toen ik op onderzoek uitging, stuitte ik op Kristian en mijn moeder die in een heftige woordenwisseling waren verwikkeld die ze acuut onderbraken toen ze mij zagen.

'Ik wilde je alleen maar dit geven,' zei Kristian timide terwijl hij zijn schaakbord omhoog hield. 'Als afscheidscadeautje.'

'Jij hebt hem helemaal niks te geven,' zei mijn moeder.

Ik trok me terug, al had ik dat schaakbord graag willen hebben. Maar toen ik maandagochtend weer naar school wilde gaan, zag ik dat zijn jas en zijn hoed nog steeds in de hal hingen, en 's middags vroeg ik mijn moeder hoe dat zat, maar ze mompelde alleen maar dat de huurder nog wat respijt had gekregen tot hij iets anders had gevonden.

Ik had hem graag willen vragen hoe de vork in de steel zat, had hem op zijn minst gedag willen zeggen. Maar dat soort dingen ging niet meer zo makkelijk. Het was tien uur geweest, dacht ik steeds weer, in een soort wazige, vage herinnering, die ochtend dat ik wakker was geworden met drie gebroken ribben, en toch was mijn moeder naar haar werk gegaan, ook al zou ze om één uur alweer vrij zijn. Misschien was dat niet zo vreemd, of misschien ook juist wel. Bovendien was ze alweer thuis toen wij terugkwamen van de Eerste Hulp en dat was misschien ook niet zo vreemd. Het was in ieder geval niet iets om haar verder naar te vragen. Het probleem was alleen dat de afstand die tussen ons was ontstaan toen Linda kwam en die we naar ik dacht weer hadden weten te verkleinen, in plaats daarvan groter geworden was.

In de weken erop was ik veel buiten op straat, ik kwam thuis van school, smeet mijn schooltas in de hal en liep weer naar buiten, deed zelfs alsof ik het niet hoorde als Marlene riep of ik een boterham wilde.

Dat soort dingen doe je niet uit vrije wil. Zulke beslissingen nemen zichzelf, je kunt je erdoor laten leiden omdat er toch wel weer iets nieuws gebeurt – het wordt bijvoorbeeld lente. Dat betekent touwtjespringen en hinkelen voor Linda, die dat nog nooit heeft gedaan en die alles van begin af aan moet leren. Maar ze is altijd slomer dan een normale beginneling en het duurt dan ook niet lang, een paar weken maar, of de belangstelling voor haar zielig persoontje ebt weg. En moet ik een andere kant op kijken. Dat wil zeggen, dat doe ik niet, want ik heb een soort uitkijkpost op de heuvel bij Hagan die me vrij uitzicht biedt op de wijk onder me en van daaruit zie ik Linda in haar eentje op de stoep voor ons portiek zitten. Ik heb ook een uitkijkpost op de helling boven de Trondhjemsvei en ook daarvandaan zie ik haar op de stoep zitten, alleen. En al doe ik alsof er niks aan de hand is en laat ik me meeslepen door de verschillende golfbewegingen die een bijeengeraapt zootje kinderen overspoelen en die hen voortdurend naar nieuwe avonturen voeren, ik zie haar altijd en dat ergert me, want het is net alsof ze alleen op die plek zit zodat ik haar zal zien. Ik loop de helling af en vraag: 'Waarom zit je hier?'

Ze snapt de vraag niet, maar glimlacht, is blij me te zien, staat op en pakt niet eens mijn hand vast, maar staat te trappelen en verwacht dat ik háár hand vastpak en iets leuks verzin, dat doe ik immers altijd als niemand ons ziet.

'Je moet hier niet zo zitten,' zeg ik.

'?'

'Met je hoofd naar beneden, bedoel ik. Ga rechtop zitten.'

Ik doe het haar voor en zij gaat rechtop zitten, ik knik, maar niet helemaal tevreden, want diep in mijn hart zegt iets me dat ze hier niet alleen zit omdat de anderen idioten zijn, maar omdat er iets mis is met haar, ik kom er alleen maar niet achter wat.

Ik neem haar mee naar een potje muntjes gooien, duw haar met onzichtbare hand de menigte toeschouwers in. Of ik laat haar zien wat landjepik is, ook een spel dat afhankelijk is van veel toeschouwers, en ze kan natuurlijk helpen dammetjes te maken van de sneeuwprut op straat, wat normaal gesproken alleen door de deelnemers gedaan wordt. Maar dat is allemaal niks voor Linda, lijkt het, ook al is ze dol op herhalingen.

Ze is ook getuige van een nieuwe uitbarsting van Freddy 1, deze keer vanwege zijn nieuwe fiets, die niet nieuw is, maar oud en zwart en door zijn vader voor vijftien kronen gekocht bij schroothandelaar Adolf Jahr in Storo en dus net zo bruikbaar als een houten poot. De uitbarsting is dusdanig dramatisch dat Linda mijn hand pakt en me wil meetrekken, dus moet ik me bijna losrukken terwijl ik me afvraag hoe de anderen dat doen, ontsnappen aan klittende broertjes of zusjes. Maar ik zie geen antwoord, die kennis is onzichtbaar, ik zie zelfs niemand klitten, alsof iedereen – klein en groot – weet hoe je je tegenover broers en zussen en vrienden moet gedragen. En mijn moeder?

Die zegt tijdens het avondeten: 'En, hoe was het vandaag?'

'Leuk,' zegt Linda glimlachend en dan vraagt mijn moeder niet met wie ze gespeeld heeft of met wat, ze lijkt eerder opgelucht dat er niets is gebeurd.

Marlene begint Linda naar de winkel te sturen, naar Lien, wat normaliter mijn taak is, zodat we aardappelen en brood hebben als mijn moeder thuiskomt van haar werk. Maar ook deze tocht voert door mijn blikveld. Vanaf Hagan zie ik Linda de winkel binnengaan en pas een eeuwigheid later weer naar buiten komen, met lege handen, dus moet ik ernaartoe lopen om te vragen wat er gebeurd is en krijg vervolgens alleen het briefje met Marlenes handschrift in handen gedrukt. Ik neem Linda weer mee de winkel in en leg haar uit dat het niet de bedoeling is dat ze zich daar achter de schappen verstopt, maar dat ze zich vlak voor de toonbank aan de vloer moet nagelen en geen duimbreed moet wijken, niet voor oude vrouwen en niet voor kinderen, tot mevrouw Lien je in het oog krijgt en dan geef je haar het briefje, resoluut – zo.

Twee dagen later komt ze weer met lege handen naar buiten.

'Wat nú weer?' vraag ik kwaad en hijgend omdat ik alweer mijn bezigheden heb moeten onderbreken. Ik krijg opnieuw een briefje van Marlene te zien en begrijp na een poosje dat er enige verwarring kan zijn ontstaan vanwege het handschrift; staat er nu één brood of twee broden?

'Je moet práten,' zeg ik. 'Kom mee.'

We gaan weer naar binnen, ik laat Linda mijn kunsten zien en hoor helaas niet op tijd dat ik veel te hard schreeuw.

'EÉN BROOD! VOLKOREN!'

'Allemachtig, Finn,' zegt mevrouw Lien terwijl ze haar ogen ten hemel slaat. Ik bloos te midden van al die mensen, krijg mijn brood en sleur Linda weer mee naar buiten.

'Pak dit brood aan en breng het naar huis – alleen,' zeg ik streng en nog steeds met een kop als een biet. Maar dat wil ze niet, ze blijft staan en drukt het brood met beide armen tegen zich aan, alsof ze bang is dat het ervandoor zal gaan.

'Toe nou maar, ik blijf hier staan kijken tot je bij Blok 8 de hoek om bent.'

Na veel geduw en getrek loopt ze dan min of meer achterwaarts de Traverei af, maar niet de hoek om, absoluut niet, ze blijft precies op de scheidslijn tussen haar en mijn wereld naar mij staan kijken tot er niks anders op zit dan weer achter haar aan te lopen en haar naar huis te brengen, waar ik tegen Marlene, die naar de radio luistert en neuriet en tralalaat terwijl ze een zee van kleine, bijna identieke sokken probeert te paren: 'Waarom kun je verdomme niet duidelijk schrijven!'

'Waar heb je het over?'

'Hier!'

Ik laat haar het briefje zien en vertel wat er gebeurd is, maar Marlene is er de persoon niet naar om zich van haar stuk te laten brengen door een paar hanenpoten, zelfs niet als die van haarzelf zijn.

'Waarom vraag je mevrouw Lien niet of die wil leren lezen?' zegt ze. 'Jij bent toch zo bijdehand?'

Ik doe mijn ogen dicht en zie een verlaten vlakte voor me met een heel klein appelboompje. Dan doe ik ze weer open en zeg tegen Linda, die zich nog steeds vastklampt aan het volkorenbrood dat nu bijna helemaal plat is: 'Morgen pak ik je het briefje af en dan zég je wat je moet hebben, begrepen?!'

Dit was vooral de lente dat de oude eenogige Ruby het huis op Hagan verliet en het laatste lichtje achter haar ramen werd gedoofd. En toen konden wij kinderen zonder problemen de restanten van de hekken neerhalen en in de bomen klimmen en grasbrandjes stichten en de laatste verwoestende aanval op het huis zelf inzetten, de ramen stukslaan en de deuren openbreken en binnendringen om alle spullen te stelen, maar die waren er niet, want het huis was leeg als de lucht en werd binnen één enkel uur door twee graafmachines met de grond gelijkgemaakt.

Er zou op die plek een nieuwe kleuterschool komen en een winkelcentrum met een kapper en een supermarkt en een fotozaak en een visboer en een schoenenwinkel, want de satellietstad werd steeds groter en verslond alles wat op zijn weg kwam, ook zijn eigen hart. Nu zijn er ook op het grasland al flats verrezen, het is er een en al auto's en kinderen en wegen en kabaal, het gaat maar één kant op, naar de verdommenis volgens huurder Kristian, die blijkbaar toch niet verhuist, maar die slechts zijn winterjas voor zijn voorjaarsjas verruilt en die het pad naar de voordeur af en op loopt, zoals hij nu al bijna een half jaar doet; is zijn tussenstation permanent geworden?

En nog iets: was het negen of elf uur, die dag dat mijn moeder het niet kon opbrengen om met mij naar de Eerste Hulp te gaan?

Het laatste meubelstuk dat voor de verwoesting uit het huis van de oude Ruby werd gehaald was een oude eerbiedwaardige piano. Daar zat een verborgen schat in. Geluid. We hadden dat geluid al jarenlang gehoord als we in het herfstdonker met onze zaklampen tussen de majestueuze eikenbomen door slopen en inzoomden op dat ene oog dat verlicht werd en we plotseling bleven staan – vanwege dit geluid. Op de Travervei had niemand een piano. Maar hier stond er een, in dit stokoude huis in ons midden. Nu werd hij naar buiten gedragen door vier sterke mannen in overalls, allemaal even oud, even groot, met dezelfde kleur haar en dezelfde dikke zwartomrande brillen en allemaal met een kort grijs baardje, waardoor ze niet alleen soldaten uit hetzelfde leger leken, maar vierlingen uit een en hetzelfde gezin – ze droegen dat glimmende, zwarte wonder naar buiten in een perfecte, geluidloze dans terwijl wij onnatuurlijk onbeweeglijk stonden toe te kijken en we voor het eerst begrepen wat we al die jaren hadden gehoord, dertig, veertig kinderen, vijftig, zestig … van alle leeftijden. Tot slot stonden er honderddrieëntachtig kinderen die al die jaren de muziek hadden gehoord en die niet hadden geweten waar die vandaan kwam, tot hij verstomde. Nu bewezen we hem de laatste eer, als een kist die ten grave werd gedragen.

' Met zóveel waren jullie toch niet?' zei mijn moeder.

'Jawel,' zei ik. 'Ik heb ze geteld en ik weet wie het waren.'

'Nou niet weer, Finn, alsjeblieft.'

'Vraag Linda dan.'

'Niet doen, zei ik! Niet doen!'

Ze hield een hand voor haar ogen, net als die ochtend dat ik wakker werd met drie gebroken ribben, iets wat, zoals ik nu eindelijk besefte, betekende dat het haar allemaal te veel werd. Ik werd haar te veel, het werd haar te veel om te moeten luisteren naar wat ik te vertellen had, ík werd haar te veel, niet haar geldzorgen, een plotseling overlijden, een verloren liefde, een opdringerige huurder of Linda die zich in haar eeuwige stilte had gewikkeld. Nee, ík was haar te veel. En dat drong tot me door op de avond dat ik vertelde over de

honderddrieëntachtig kinderen die onbewust in het gelid hadden gestaan om beduusd afscheid te nemen van een piano en zij niet meer
naar me wilde luisteren omdat het niet een teken van kinderlijkheid
was, maar van een ontwakende verdorvenheid.

'Was het een vleugel of een piano?' klonk het geërgerd.

'Wat maakt het uit,' zei ik, stond op en liep weg, voorgoed.

10

Toen kwam er een brief. Met een doorgestreept adres en daaronder onze naam in een hoekig handschrift, met potlood. Het ging om een oproep voor het consultatiebureau in Sagene, waar ik zelf ook voor controle naartoe had gemoeten voordat de schoolzuster het overnam. Nu was Linda aan de beurt. En mijn moeder kwam op het idee mij mee te nemen, voor een ribbencheck, zoals ze het gekscherend noemde: ze had zich nog steeds niet verzoend met mijn blessure, je breekt geen drie ribben met langlaufen. Bovendien kende ze het personeel in Sagene en ze had meer vertrouwen in hen dan in dokter Løge, die alleen maar was geroepen omdat zijn praktijk in de buurt was.

Het werd waarlijk het uur van de waarheid. Het begon ermee dat zuster Amundsen vond dat Linda een beetje een ongecoördineerde indruk maakte, afwezig, sloom …

'Sloom?' zei mijn moeder met een nieuwe gezichtsuitdrukking.

Mevrouw Amundsen knikte peinzend. 'Maar dat probleem met haar knie dan?' vroeg mijn moeder .

'Knie?' zei mevrouw Amundsen, die groot en oud was en witte kleren droeg, net als mevrouw Lund in de eetzaal op school. Ze had vier kinderen gebaard, twee oorlogen meegemaakt en zo'n beetje alles wel gezien. Maar nu zag ze dus niks van het probleem met Linda's knie dat in de brief in het blauwe koffertje werd genoemd.

'Ja, waar ze medicijnen voor krijgt,' drong mijn moeder aan.

'Medicijnen?'

Mijn moeder keek even alsof ze niet goed wist of ze ja moest knikken of nee moest schudden, uiteindelijk deed ze geen van beide.

Mevrouw Amundsen boog zich over Linda heen, die op een lang, knisperend stuk papier zat op iets wat op een operatietafel leek, trok haar schoenen uit, rolde haar maillot naar beneden en betastte Linda's linkerknie met haar enorme handen.

'Doet dit pijn?'

Linda schudde voorzichtig haar hoofd. 'En nu dan?'

Meer hoofdschudden. Mevrouw Amundsen pakte haar onder haar

armen beet, tilde haar van de tafel en vroeg haar naar de muur te lopen waar de kaart met de letters hing, rechtsomkeert te maken, terug te komen, naar de gecapitonneerde deur te lopen en daar nog een keer om te draaien, terwijl ze haar vroeg hoe ze heette, iets waar Linda pas antwoord op gaf nadat ze vragend naar mijn moeder had gekeken en een knikje had gekregen.

'Linda, ja, dat is een mooie naam. En hoe oud ben je dan?'

Linda had weer een knikje van mijn moeder nodig.

'Zes.'

'Dus dan ga je na de zomer naar school?'

Linda knikte.

'Ze kent alle letters al,' zei ik.

'Zo, nou, dan ben je een flinke meid.'

'G,' zei Linda.

Mevrouw Amundsen knikte geïmponeerd, tilde haar weer op de bank en keek naar mijn moeder.

'En wat voor medicijnen geef je haar dan?'

Mijn moeder noemde de naam van de medicijnen.

'Slaapt ze goed?' vroeg mevrouw Amundsen.

Mijn moeder knikte.

'Veel?' vroeg mevrouw Amundsen. En mijn moeder moest weer knikken en mompelde geluidloos: 'Ja, eigenlijk wel.'

Mevrouw Amundsen glimlachte ernstig, zei 'wacht hier' en liep de kamer uit. Mijn moeder rolde Linda's maillot weer omhoog en trok haar sokken en schoenen aan.

'Kan ik zelf,' zei Linda toen mijn moeder haar veters strikte.

'Ja, ja, ik weet het, liefje, maar nu wil ik het doen.'

Ze trok aan de veters zodat de uiteinden even lang werden, als een strik op een kerstcadeautje. En toen moest ze haar plotseling ook knuffelen, daar op het knisperende papier, een knuffel van het soort dat over de hele Atlantische Oceaan reikt en ik begreep dat het mysterie van mijn drie ribben nu in elk geval niet zou worden opgelost.

Ik stapte op de weegschaal en schoof de gewichtjes heen en weer, ging onder de winkelhaak aan de muur staan die moest meten hoe lang ik was, maar mijn moeder greep niet in, ze stond daar maar met haar neus in Linda's haar en hield haar stevig, stevig vast alsof iemand van plan was er met haar vandoor te gaan. Dus maakte ik de witte kast open die op spillebenen stond en op een geldkluis leek en keek naar alle flesjes die daar in gelid op de glasplaten stonden als kleine, brede dwergen, pikte er eentje uit, schudde hem en begon de dop eraf te draaien, en toen pas hield mijn moeder me tegen, maar slechts met een handgebaar, een vermoeid, wanhopig handgebaar.

Dus schroefde ik de dop er weer op, deed de kastdeur dicht en pakte de aanwijsstok die naast het raam hing, duwde mijn moeder zachtjes opzij en wees naar de letters op het bord voor blinden, een voor een, steeds lager in de piramide, liet Linda de letters opnoemen en dat deden we tot mevrouw Amundsen weer binnenkwam, ditmaal met een jongeman die we niet eerder hadden gezien, maar die heel aardig was en ons alle drie de hand schudde en Linda heen en weer door de kamer liet lopen, net zoals mevrouw Amundsen had gedaan. Daarna nam hij mijn moeder mee naar een andere spreekkamer.

'De kinderen kunnen hier wachten,' zei hij bij het weggaan over zijn schouder.

Wij wachtten.

Mevrouw Amundsen gaf ons een oude Donald Duck, waar ik uit voorlas. Daarna nam ze ons mee naar de wachtkamer, omdat er andere mensen in de spreekkamer moesten. Later haalde ze ons weer op en zei dat we op een zwartleren bankje mochten gaan zitten dat eigenlijk niet meer was dan een veel te brede stoel, terwijl zijzelf achter haar bureau de dossiers van die dag bijwerkte, want het begon nu erg laat te worden.

Mijn moeder was er niet helemaal bij met haar hoofd toen ze terugkwam. Er zat ook geen make-up meer op haar gezicht, haar ogen waren roodomrand en droog, en de greep waarmee ze Linda vastpakte nadat ze met een messcherpe penpunt drie formulieren had ondertekend was minstens zo stevig als de greep waarmee Linda zich de dag dat ze uit de bus stapte aan háár had vastgeklampt.

We zeiden geen woord tot we buiten op het trottoir stonden en we naar het langs denderende spitsverkeer luisterden en voelden hoe stil en troosteloos het daarbinnen in het naar nafta stinkende instituut was geweest.

'Goed,' zei mijn moeder hardop tegen zichzelf. 'Goed.'

Ze liet haar blik door de drukke straat dwalen alsof ze een koers wilde uitzetten terwijl Linda en ik nieuwsgierig naar haar opkeken, want wat gebeurde hier nu eigenlijk?

Zo, nu gingen we eerst langs een slager die ze kende om spek en vleeswaren te kopen, daarna gingen we naar een bakkerij die ze ook kende, uit haar eigen jeugd, begreep ik uit de veel te luide en familiaire toon waarop ze met de vrouw achter de toonbank praatte die ons allebei een krakeling gaf. Daarna namen we de trolleybus naar Carl Berners plass, waar we ook nog tijd hadden om twee zakjes pinda's uit de automaat voor het Progress-winkelcentrum te halen voor we overstapten op de bus naar Tonsenhagen. Toen we eindelijk thuis waren aten we speklapjes met jus, omdat we in onze familie vaak een crisis met eten bezweren of daarmee aangeven dat het gevaar geweken is.

Maar nu gebeurde dat in de omgekeerde volgorde.

Deze avond kreeg Linda namelijk geen medicijnen, die werden door de wc gespoeld, twee volle potjes, waarna de recepten veilig achter slot en grendel in een lade werden opgeborgen bij de foto's van de kraandrijver en mijn moeder, haar gelukkige huwelijksleven. Als bewijs, zei ze nadat Linda in slaap was gevallen. Ze zei ook dat we waarschijnlijk een paar zware dagen voor de boeg hadden. En: 'Domheid is het ergste wat er bestaat, Finn. En je moeder is dom geweest. Dom, doof en blind. En weet je wat mensen dom maakt?'

'Eh … nee.'

'Angst. Daarom moet je nooit bang zijn, liefje. En zo lang mogelijk naar school gaan, wil je me dat beloven?'

Ja hoor, ik was ook nooit iets anders van plan geweest en ik beschouwde mijn moeder nou ook niet bepaald als een hazenhartje, ook al was ze bang in het donker en werd ze onrustig als het goed met ons ging, ook al voordat Linda onze levens binnenstapte. En wat ging er nu dan gebeuren?

'Ik weet het niet,' zei mijn moeder. 'We moeten het maar nemen zoals het komt.'

Dat deden we en het begon midden in de nacht, toen Linda plotseling naast mijn bed stond en wilde spelen. Daarna moest ze naar de wc en vervolgens wilde ze eten. Maar ze kon niet stil blijven zitten en rende naar de woonkamer om iets te halen, was toen vergeten waar ze naar zocht, zei oei oei en kwam terug naar de keuken, waar haar iets anders te binnen schoot en ze weer naar de kamer draafde en maar bleef rondhollen door het bescheiden terrein dat je ter beschikking staat in een driekamerflatje minus een verhuurde kamer. Toen begon ze te trillen, smeet een stoel om, gooide een glas stuk en begon wild te spartelen. Mijn moeder legde haar armen om Linda heen en nam haar in een houdgreep, ging op bed liggen en hield haar vast terwijl ik naar de woonkamer holde en achter de televisie op de vloer ging zitten met mijn handen voor mijn oren terwijl ik niet zeker wist of ik leefde of doodging vanwege het gekrijs en de tintelingen die ik nu in mijn huid voelde. De geur van bakeliet en teakolie prikte in mijn neus en ik las de Chinese tekens die de elektriciteit de weg moesten wijzen, maar die de geluiden niet konden overstemmen; ik bleef daar zitten tot het enorme woonkamerraam grijs werd en daarna licht als een vel tekenpapier en ik mijn moeder hoorde roepen dat ik moest maken dat ik naar school kwam.

Dat deed ik, zonder ontbijt.

We hadden vandaag maar vier uur les en toen ik thuiskwam was het nog net zo, mijn moeder in bed met een zwetende, spartelende Linda die een wit en blauw gezicht had. Het hele huis rook naar braaksel. Linda die nooit huilde, maar die nu de schade inhaalde en maar bleef krijsen als een ijzerzaag die door steen sneed. Ik begreep dat Marlene langs was geweest, want er stond eten op tafel en toen ik gegeten had en nog steeds niet wist of ik zou blijven leven of in rook zou opgaan, riep mijn moeder door de deur die ik nu niet meer open durfde te doen, uit angst iets te zien wat ik nooit meer zou vergeten, dat ik televisie mocht kijken en in de woonkamer mocht slapen.

Maar die nacht verliep net zo onrustig.

De volgende ochtend kwam Kristian om zes uur binnen om te vragen wat er verdomme aan de hand was, maar hij werd meteen weer teruggejaagd naar zijn kamer.

'En blijf daar!' schreeuwde mijn moeder die duidelijk over veel paardenkrachten beschikte en die Linda door de flat droeg en haar troostte met rare woordjes die ik nog nooit had gehoord, toverformules die niet werkten en die daarom eindeloos moesten worden herhaald.

Toen viel Linda eindelijk in slaap en stuurde mijn moeder me naar school, dit keer met zowel een broodtrommeltje als een verstrooide knuffel, en drukte me op het hart dat ik niks mocht zeggen, zelfs niet tegen Essi – sterk zijn, zei ze, alsof het gruwelijke dat nu in Linda woedde slechts een peulenschil was vergeleken bij wat ons zou treffen als een buitenstaander er lucht van kreeg.

Net toen ik de deur uit wilde gaan, kwam Marlene, die niet dom was en dat ook nooit was geweest; zij bleef de hele dag in de flat, met mijn moeder die ook vandaag niet naar haar werk ging.

Die avond sliep Linda meer dan twee uur, daarna begon het hele spektakel opnieuw, net toen ik naar bed wilde gaan. Maar toen had mijn moeder ook wat kunnen slapen. En weer lag ik in de woonkamer met watjes in mijn oren en een tintelend gevoel in mijn lichaam terwijl in de slaapkamer nog steeds slag werd geleverd en ik werd pas wakker toen Marlene in de leunstoel naast de bank zat en vroeg hoe het met me ging.

'Hoe gaat het met jou, Finn?'

'Het is tien uur,' zei ik en ik schoot overeind omdat ik begreep dat er iets mis was.

Maar er was niks mis. Ik was nat van het speeksel en het zweet. Maar alles was rustig. Stil en licht. Midden in de kamer stond de dokter met wie we tijdens de controle in Sagene hadden gesproken, in een jas, maar zonder hoed en hij maakte een paar verwijtende, maar vriendelijke opmerkingen tegen mijn moeder die zich had opgemaakt en eruitzag alsof ze naar haar werk ging. Het was niet de bedoeling dat ze dit alleen deed, zei hij, wat dat dan ook mocht zijn. En zij antwoordde: 'Dat kind gaat niet naar een tehuis!'

'Nee, dat snap ik, maar ...'

'Ze gaat hier nooit meer vandaan! Nooit!'

De dokter zei weer nee en hij hing zijn jas naast die van Kristian, alsof hij hier ook woonde, nam mijn moeder voorzichtig bij de arm, leidde haar naar de keuken, plantte haar op een stoel en begon haar armen en handen te onderzoeken, waar een paar blauw-rode halvemaantjes op zaten die naar ik begreep tandafdrukken waren.

Linda zat ook aan de keukentafel. Ze at haar ontbijt, dronk chocolademelk, mepte met een theelepel op het velletje en glimlachte onzeker toen ik binnen kwam sloffen. Mijn moeder moest plotseling lachen op een manier die mij aan de dood deed denken en ik voelde Marlenes hand op mijn hoofd, voelde dat ik naar de tafel werd geduwd en achter een bord met vier boterhammen werd gezet, typische Marlene-boterhammen, gesmeerd en gesneden onder begeleiding van 'Sånt är livet'. Ik pakte er een, nam voorzichtig een hap en kauwde.

'Linda is ziek geweest,' zei Linda.

'Ik óók,' zei ik en ik rilde en kauwde terwijl het medisch onderzoek naast me stagneerde en aller ogen mijn kant op gingen. Mijn moeder moest opstaan en naar de badkamer lopen en haar gezicht wassen en zich nog een keer opmaken. Toen ze weer naar buiten kwam, knipperde ze met haar ogen vanwege de dokter en het licht en vroeg of ze zo wel naar haar werk kon – zoals ik eruitzie?

'En dat vraag je mij?' vroeg hij glimlachend.

'Wie moet ik het anders vragen?' zei ze.

'Ja, hoor, als je dat echt wilt. Je kunt met mij meerijden.'

'Ze gaat niet naar haar werk,' besliste Marlene, waarna mijn moeder in elkaar zakte, zich half omdraaide en op hetzelfde moment haar hoofd met een raar knikje in mijn richting boog, in de overtuiging dat ik het niet zou merken en de dokter mij opeens ook leek te ontdekken tussen alle anderen; hij boog zich over de tafel en mijn bordje en mijn eten heen en vroeg met zijn brede mond of ik gisteren mijn huiswerk gemaakt had, en dat had ik, goed zo, zei hij en toen wilde hij weten hoeveel kinderen er in mijn klas zaten …

'Een gemengde klas? Kijk es aan. En zitten daar nog wat leuke meisjes in?'

'Tanja,' zei Linda en de dokter glimlachte terwijl ik me probeerde te herinneren of ik gisteren echt wel mijn huiswerk had gemaakt. Dat had ik, ja hoor, ik herinnerde me zowel de psalm als het stukje uit het leesboek dat we moesten navertellen, over Halvor die thuiskomt en die zo overstuur is; dat verhaal kende ik van buiten, wat eigenlijk niet de bedoeling was, omdat we onze fantasie en onze eigen woorden moesten gebruiken. Dat kon ik ook, dus begon ik net zo makkelijk te vertellen wat er daarginds in Heia loos was met het zieke paard dat niet meer kon opstaan nadat hij in het bos was gestruikeld en gevallen, en dat de veearts zei dat hij gewoon wat water nodig had, dan zou hij wel weer opknappen, de knol. En merkwaardig genoeg luisterde iedereen voor deze ene keer en ze lachten en leken het erg interessant te vinden, ook mijn moeder, ik kon gewoon mijn verhaal afmaken en mijn glas melk leegdrinken, opstaan en naar school gaan. Maar het was al bijna elf uur.

'Je mag vandaag wel thuisblijven, Finn.'

'Nog een keer vertellen,' zei Linda.

11

Het is stil en warm en zomer en vakantie in de straten van Årvoll en ik moet Linda leren boompje klimmen, dat voel ik. Ze heeft geen hoogtevrees meer, is dunner geworden en een tikkeltje groter, om niet te overdrijven, want je overdrijft snel als er vooruitgang te zien is; we doen het stapje voor stapje in dit huis, zijn op het ergste voorbereid en zijn volkomen overdonderd als het ook maar een beetje goed gaat, bijvoorbeeld een doodgewone avond voor de televisie zonder dat Linda een terugval krijgt, zoals mijn moeder die laatste restjes van haar oude leven noemt.

Ze is ook sterker geworden. Wanneer we oefenen aan de droogrekken voor de flat kan ze niet alleen acht seconden lang aan haar armen hangen, ze kan zich zo ook voortbewegen, twee, drie, misschien wel vier keer voor ze eraf valt en door mij wordt opgevangen. Linda vertrouwt op mij, ik vang haar altijd op, ik vind het fijn dat er op mij vertrouwd wordt.

'Het kietelt,' zegt ze.

Als ik op de ijzeren bank sta en haar optil zodat ze bij het droogrek kan, gaat ze soms ook op de kruising tussen de droogrekken van Blok 1 en Blok 2 zitten en klampt zich vast aan de waslijnen en is wel bang, maar niet zo bang dat ze het niet een minuut of vier, vijf kan volhouden. De dagen zijn van ons. En van Freddy 1. Freddy 1 is ook niet op vakantie, hij is groot en zwaar, geen klimmer. Maar hij kan aan zijn armen hangend van de ene kant van het rek naar de andere kant slingeren zodat de constructie schommelt en schudt als het want van een zeilschip in een storm. En omdat Linda op de kruising zit gaat hij op zijn rug op de betontegels eronder liggen en stelt voor dat zij op zijn buik springt. Dat durft ze niet.

'Toe nou maar,' zegt Freddy. 'Dat doet geen pijn.'

Linda denkt na en ik heb het vermoeden dat Freddy 1 daar vooral ligt om onder haar gele bloemetjesjurk te kunnen kijken. Ik stel voor dat ze op haar buik over de stang glijdt en zich laat vallen als ze zich niet meer kan vasthouden. Dat doet ze en na een slordige zweefvlucht van zo'n anderhalve meter landt ze keurig met haar sandalen op de buik van Freddy 1, die hoest en rood aanloopt, ongeveer op hetzelfde moment dat mijn moeder uit de schuilkelder komt met een zonnebril en een strandstoel en twee damesbladen.

'Wat zijn jullie aan het doen! Foei, Finn!'

Freddy wilde me verdedigen, dat zag ik aan zijn gezicht, maar er kwam geen geluid uit. Mijn moeder kwam aanrennen, hielp hem overeind en ondersteunde hem naar de ijzeren bank waar de wasmanden altijd staan terwijl ze schichtig om zich heen keek om te zien of de moeder van Freddy 1 ons misschien van achter haar raam of vanaf het balkon in de gaten hield. Maar de moeder van Freddy 1 hield helemaal niks in de gaten, ze sliep en de vader van Freddy 1 was op de bouw en zijn grote zussen waren in de vakantiekolonie. Freddy 1 wilde niet naar een vakantiekolonie, voor geen goud, hij wilde thuis in zijn straat zijn in de periode dat al zijn plaaggeesten daar niet waren, in de periode die zijn plaaggeesten doorbrachten in de hel, waar volgens Freddy 1 op vakantie gaan mee te vergelijken was.

We luisterden naar de vermaningen van mijn moeder en hielpen haar de strandstoel op te zetten. Dat kostte tijd. Toen deden we wat trucjes met een bal en zaten ons demonstratief te vervelen in het gras tot mijn moeder er genoeg van had en ons vroeg of we niks anders te doen hadden.

We staken de Travervei over en liepen naar Hagan, buiten haar gezichtsveld, waar de eikenbomen takken op grijphoogte hadden, zelfs voor iemand van Linda's postuur en waar zelfs Freddy 1 zich omhoog kon hijsen tot het tweede basiskamp, zoals wij dat noemden, waar de kroon uitwaaierde en er tussen de dikke takken een soort platform was ontstaan, een vloer van solide eikenhout met plek voor vier, vijf of zes kinderen en waarvandaan Freddy 1 ooit had staan pissen op het hoofd van Freddy 2, die niet verder wist te komen dan kamp 1.

We konden de zinderende warmtenevel boven het stadscentrum zien en de nieuwe flats van de wijk Disen en de Trondhjemsvei en onze eigen woonwijk met zijn lege straten en flats en de weilanden die steeds korter gras kregen en in gazons veranderden die onderhouden moesten worden door de huismeester en de plantsoenendienst, wat een innerlijke tegenspraak is – een woonwijk zonder mensen, een lege huls, achtergelaten door alle mensen die teruggekeerd waren naar de dorpen waar ze oorspronkelijk vandaan kwamen om hun kinderen te leren hooien, vissen, roeien en boompje klimmen. Essi was met de auto over de bergen naar Romsdalen ontvoerd, Vatten zat in Solør en Roger was in Noord-Noorwegen, om nog maar te zwijgen van al die kinderen die in de vakantiekolonie op Hudøy zaten en die alleen maar heimwee hadden naar Hagan en naar ons en naar het duizelingwekkende uitzicht waar wij nu van zaten te genieten, over een wereld zoals die eruitziet zonder alle mensen die erin thuishoren – een merkwaardige tijd, de zomer, een mysterie, net zo groot als de winter.

Maar toch zou dit geen gewone zomer worden.

In de eerste plaats was Linda er en dat haalde een streep door het leeuwendeel van de plannen van Freddy 1, die er vooral op neerkwamen dat we iets stalen wat we niet nodig hadden, uit kelder- of zolderbergingen, een kilo meel, schoensmeer, erwten, die konden we tenminste nog in onze blaaspijpen gebruiken of eigenlijk nog het liefst lege flessen bij de renbaan, die we inleverden om vervolgens van het statiegeld ijsjes te kopen. Bij geen van die acties kon ik Linda gebruiken.

En in de tweede plaats omdat Kristian aan de keukentafel zat toen we die avond thuiskwamen, Kristian in een veel te grote korte kaki broek en een nog groter kaki overhemd, waardoor hij op dokter Livingstone uit de Geïllustreerde Klassiekers leek. Hij had een verrassing in petto, zo bleek, of we zijn tent wilden wilde lenen om vakantie te vieren?

'Waar heb je het over?' zei mijn moeder terwijl wij op onze stoelen glipten en ik me afvroeg waar we deze audiëntie aan te danken hadden, want Kristian had zich sinds Linda's ziekte nauwelijks laten zien en dat was nu bijna twee maanden geleden.

Nou, Kristian had een bungalowtent, zoals hij dat noemde, en die stond op een eiland in het Oslofjord dat Håøya heette, stond daar de hele zomer, hij vond het fijn om er in de weekends met de pont naartoe te gaan, zei hij.

'Een bungalowtent?'

'Ja, een zespersoonstent. Met voortent.'

Ik wilde vragen wat een eenzame kamerbewoner met een zes-persoonstent moest, maar daar gaf hij ongevraagd antwoord op. 'Ja, het stelt niet veel voor, ik kon hem goedkoop krijgen, hij heeft een beetje brandschade.'

Mijn moeder begon te lachen.

'Dat zie je bijna niet,' verdedigde Kristian zich.

Maar juist het feit dat de tent bijna niks waard was, maakte hem bijna bereikbaar, ja veranderde hem in een onweerstaanbare verlei-ding.

'Ga je d'r dan niet zelf heen?'

'Nee. Hij staat leeg, zei ik toch. Met een hangslot. Hier is de sleutel.'

Hij diepte een piepklein sleuteltje op dat op een juwelenkistje leek te passen, hield het omhoog zodat we het allemaal konden bewonde-ren en legde het tussen onze borden in op tafel. Het sleuteltje had in elk geval geen brandschade, dat was zo glimmend en brandschoon dat het leek of we zó op pad konden gaan.

'Dan moet Freddy 1 ook mee!' riep ik.

'Hou nou op, Finn, we gaan niet naar een eiland, in een tent …'

'Waarom niet?' vroeg Kristian. 'Je kunt toch net zo goed daar lig-gen zonnen?'

'Hou op.'

'Je hebt trouwens een aardig kleurtje gekregen, staat je goed.'

'Hou op, zei ik!'

'En de kinderen hebben frisse lucht nodig …'

'Tent,' zei Linda, ze friemelde aan de sleutel, keek er lange tijd naar en liet hem toen in haar glas melk vallen.

'Linda!'

'Freddy 1 is nog nooit op vakantie geweest!' riep ik. 'Freddy 1 is zielig!'

'Waarom noem je hem eigenlijk Freddy 1?'

'Omdat hij zo heet!'

'Geef mij die sleutel, Linda.'

Linda stak haar hand in het melkglas, viste het sleuteltje eruit en gaf het aan mijn moeder, die haar hoofd schudde en zowel de sleutel als haar hand afdroogde met een theedoek. Maar toen bleef ze met de sleutel in haar hand staan en keek ernaar zoals ze naar het gouden haasje gekeken had dat ze ooit met kerst had gekregen en dat ze na een poosje was gaan dragen als ze in de schoenenwinkel werkte, zo had ik gemerkt.

'En slaapzakken?' vroeg ze vermoeid.

Ook daar had Kristian aan gedacht. Kristian had overal aan gedacht. Zelfs aan een opvouwbare, groene canvas emmer waarmee we water konden halen uit een van de kranen en die we in een dennenboom naast de tent konden ophangen, een emmer met een tapkraantje in de bodem dat je open en dicht kon draaien, als we hem hoog genoeg ophingen konden we eronder staan douchen, wat vooral erg prettig was als de zon het water eerst had verwarmd.

Maar nu vond mijn moeder dat dit wel erg op een voorgekookt plan begon te lijken, net als toen hij ons de televisie en het eten en het gouden haasje en het schaakbord probeerde op te dringen, dat ik inmiddels trouwens mocht 'lenen' en dat op mijn bureautje stond.

'Freddy 1 moet ook mee!' herhaalde ik onstuitbaar. 'Ik ga niet zonder Freddy 1!'

'Begin jij niet óók nog eens!' zei Kristian geprikkeld en het zag er bijna uit alsof hij met zijn vuist op tafel zou slaan.

'Wat zullen we nou krijgen?' vroeg mijn moeder, onmiddellijk mijn kant kiezend.

'Allemachtig, wat een zootje,' zei Kristian. Hij stond op in zijn enorme kaki uitrusting en stoof de deur uit.

'Boos,' zei Linda toen de deur van zijn kamer dichtknalde.

Mijn moeder ging zitten, wij bleven zitten en keken elkaar over de tafel aan, en daar lag nu zowel de sleutel als Kristians halfopgegeten boterham die ons zó toespraken dat we elkaar nog ernstiger aankeken en mijn moeder een paar vermoeide haarlokken uit haar gezicht wegstreek en zuchtend zei: 'Wat is er in vredesnaam met ons aan de hand? Hij wil ons alleen maar een verbrande tent lenen!'

Zoiets grappigs hadden we nog nooit gehoord, we lagen plat op tafel en lachten ons dood, we konden niet stoppen en waren dat ook helemaal niet van plan, want dit was zo'n beetje het enige wat ons weer bij onze positieven kon brengen. Mijn moeder stond op, liep naar de deur van zijn kamer, deed die zonder te kloppen open en riep luid: 'Kom nou je eten opeten in plaats van daar te zitten mokken.'

Toen begon het ergens op te lijken. Kristian kwam terug met een halfgeërgerde glimlach op zijn familieloze gezicht, maar ging heel diplomatiek weer zitten en maakte aanstalten om verder te eten, terwijl mijn moeder hem nog wat koffie inschonk en zei dat we uiteraard blij waren met het aanbod, het kwam alleen wat onverwacht, maar vanaf dinsdag misschien en dan voor een weekje, wat vond hij daarvan?

'Ja, ja, natuurlijk.'

Maar helaas had ik mijn zegje nog niet gedaan.

'Freddy 1 moet ook mee!' herhaalde ik nu mijn moeder nog steeds zo supermeegaand was.

'Goed dan, maar dan gaan jij en ik er nu meteen naartoe om het te vragen!'

Ze nam nauwelijks tijd om haar sandalen aan te trekken en ik was sowieso op blote voeten, het was zomer. We liepen de trappen af en over het verlaten grasveld in een tempo dat allengs wat langzamer werd toen mijn moeder even nadacht en me een paar indringende vragen stelde over de moeder van Freddy 1, die ze wel vaak gezien had, maar met wie ze nog nooit een woord had gewisseld, maar er gingen geruchten …

De tocht voerde ons helemaal naar de derde verdieping, waar ik snel aanbelde. Maar er werd niet opengedaan. We hoorden daarbinnen een heleboel geschreeuw, een discussie wie moest opendoen, begreep ik, tussen Freddy 1 en zijn moeder, een strijd die zijn moeder verloor.

Ze verscheen in de deuropening, kalm en mooi, keek vragend van de een naar de ander terwijl wij vertelden waarom we hier waren, en antwoordde kort en bondig dat dat erg aardig van ons was, en: 'Natuurlijk moet Freddy op vakantie, hij is nog nooit ergens naartoe geweest.'

Maar Freddy 1 liet zich nog steeds niet zien. En dat vond ik een beetje vreemd, want hij zat immers binnen en hoorde wie er was en waar we over praatten. Ik riep het huis in dat hij dinsdag met ons op vakantie zou gaan.

'Hoor je me?!'

Maar daar antwoordde Freddy 1 nee op.

'Wat zeg je nou?' riep zijn moeder de flat in, zonder zich een millimeter te verplaatsen, ze bewaakte deze deur, zelfs ík, Freddy 1's enige vriend, had deze drempel nog nooit overschreden.

'Nee,' zei hij weer.

Ik zag mijn moeder haar ogen ten hemel slaan terwijl de moeder van Freddy 1 het typische doodvermoeide-moeder-gezicht trok dat ze hier in het buurtje zo perfect beheersen, ze haalde haar mollige schouders op en zei iets in de trant van dat er op die jongen geen peil te trekken viel.

Maar ik kon me niet gewonnen geven en riep naar binnen dat we de boot zouden nemen en naar een gigantisch eiland zouden gaan en zouden zwemmen en in een tent zouden wonen.

Maar Freddy 1 was onvermurwbaar.

'Nee!' klonk het weer, even onverzettelijk. En toen had mijn moeder er genoeg van. Ze mompelde wat beteuterde afscheidswoorden tegen de moeder van Freddy 1, greep me bij mijn mouw en trok me de trappen af, naar het verlaten grasveld dat nog steeds prettig en zonnewarm onder mijn voeten kietelde, nu was ze domweg woedend.

'Sodeju, wat jij allemaal aan gekkigheid verzint, Finn!'

Alsof ik grof misbruik had gemaakt van haar vertrouwen.

'Hij heeft er al spijt van!' gilde ik. 'We gaan weer naar boven!'

'Ben je gek geworden?'

'Ik ken hem! Hij heeft spijt!'

'Ik zal je leren wat spijt hebben is!' siste ze me in mijn gezicht en ze draaide zich botweg om en liet me daar staan.

Dat was een streep door de rekening.

Ik holde achter haar aan, maar hield de rest van de avond mijn mond, noemde Freddy 1 met geen woord, zelfs niet toen we maandag zo zoetjesaan begonnen te pakken. Het kwam goed uit dat Linda net een nieuwe schooltas had gekregen omdat ze voor het eerst naar school zou gaan, en mijn moeder haalde een oude rugzak van zolder die waarschijnlijk al een paar wereldoorlogen had meegemaakt, zei 'lieve help', stak haar neus erin, hield hem omhoog, keek er met vrouwelijke weerzin naar, liep weer naar de zolder en kwam terug met de koffer waar Dombås op stond.

'Je kunt niet gaan kamperen met een koffer,' zei Kristian die de avond voor zijn televisie doorbracht. Hij stond op, liep naar zijn kamer en kwam terug met een canvaskleurige hoop stof die een plunjezak bleek te zijn met touwtjes en koperen ringen en twee schouderbanden, zodat je hem op je rug kon dragen. 'Deze gebruik ík altijd.'

'Ja, ja,' zei mijn moeder en ze keek afwijzend naar de vormeloze zak.

Kristian haalde een kaart van het eiland tevoorschijn en liet ons zien waar zijn tent stond en gaf aan waar de waterkraan en een winkel en twee stranden en een feestterrein waren – het begon bij ons te kriebelen. We straalden als zonnetjes. En toen hij een kruisje zette bij een geheime steiger waar je op je buik liggend op krabben kon vissen, voelde ik het kippenvel als een stugge pels op mijn hele ruggengraat liggen. De enige domper op de feestvreugde was Freddy 1. En toen ik vlak voor bedtijd in de vensterbank ging zitten om te kijken of hij niet voor zijn raam spijt zat te hebben, liet hij zich helemaal niet zien, hij, die bijna in die vensterbank woonde, of dat nu was om de wacht te houden, iets naar beneden te laten zakken, waterballonnen naar buiten te gooien of om daar gewoon te zitten koekeloeren.

Maar tegen die tijd had ik in elk geval een plan weten te bedenken. Het was niet echt een goed plan, maar goede plannen lopen toch meestal in de soep.

12

We vertrokken dinsdagochtend in alle vroegte, in de zon, sleepten de plunjezak van Kristian naar de bushalte en de bus in, waar de conducteur grapte dat we er een kaartje voor moesten kopen, stapten uit op Wessels plass en sleepten de zak verder naar de haven waar de boot op ons zou liggen wachten. Maar dat deed hij niet. We waren drie uur te vroeg, zo bleek, want Kristians dienstregeling was van vorig jaar.

Gelukkig viel er hier veel te zien, zeilboten en passagiersschepen en jollen en zwermen mensen die vis en garnalen kochten van een armada van scheepjes en kotters die in het rioolwater lagen te dobberen, en een heuse trein die zich met geregelde tussenpozen een weg door de menigte baande met veel lawaai en gesis en gefluit en groene vlaggen en geüniformeerde mannen die aan de buitenkant hingen en met hun petten zwaaiden en tegen de slome duikelaars riepen dat ze nu moesten maken dat ze wegkwamen, want de trein kwam eraan, verdorie!

Nadat we onze plunjezak op het uiteinde van een van de pieren hadden geïnstalleerd, zodat hij op een sofa leek, zei mijn moeder dat ze nog iets moest doen en dat ik in godsnaam goed op Linda moest passen als zij weg was, zodat ze niet van de kade viel.

'Hou haar vast!'

'Ja, ja, ja.'

Maar we waren nog maar net begonnen te kibbelen over hoe hard ik haar mocht vasthouden, of mijn moeder was alweer terug.

'Kijk eens wie ik gevonden heb,' zei ze met een brede glimlach.

Daar stond Marlene, met zoveel make-up dat we haar eerst niet herkenden, naast een man die we nog nooit hadden gezien, maar die zich glimlachend voorstelde als Jan, het vriendje van Marlene. Ze droegen allebei een wijnrood uniform, net als de chocoladeverkopers in de Ringen-bioscoop. Ze waren op weg naar hun werk, daarboven, wees Jan in de richting van de Akershus-vesting. Marlene pakte Linda onder haar armen en tilde haar op en drukte haar tegen zich aan en zei wat ben jij groot geworden, meisje van me, ook al kon Linda nog geen millimeter gegroeid zijn in de twee weken die verstreken waren sinds we elkaar voor het laatst hadden gezien.

'En Finn ook,' zei ze, om de weegschaal weer in evenwicht te krijgen.

Toen ze hoorden dat de boot pas over een dikke twee uur zou gaan, nodigden ze ons uit voor een kopje koffie in Friluften, het café-restaurant waar ze werkten, er zijn zo vroeg in de ochtend niet veel gasten en misschien hadden ze daar ook nog wel iets anders, wie weet, zei Jan terwijl hij schalks naar me knipoogde en de plunjezak over zijn schouder slingerde en hem droeg zoals je hem duidelijk hoorde te dragen, het zag er geniaal uit. We liepen achter hen aan, staken Rådhus plass en de treinrails over en liepen de heuvel op naar het restaurant, waar we aan een tafel werden gepoot die Jan de Burgemeesterstafel noemde, omdat de burgemeester daar altijd bier dronk, sigaren rookte en belangrijke vergaderingen hield en die bij het verste raam stond zodat we uitzicht hadden over de hele haven.

Mijn moeder bestelde koffie en gebak terwijl Linda en ik genoeg ijs kregen om een hele woonwijk mee te voeden, in glazen schaaltjes die op fonteinen leken en met zulke hoge stelen dat Linda die van haar op haar schoot moest laten balanceren.

Terwijl mijn moeder haar zaakjes regelde, zaten wij nog een poosje in ons eentje, alleen gestoord door Jan die kwam vragen of de gasten nog iets wensten terwijl hij en floot naar links en naar rechts boog op een manier die hem vervaarlijk veel op oom Tor deed lijken.

Dit was heel anders dan de vorige keer dat ik in een restaurant had gezeten, wat voor zover ik me herinnerde ergens midden in het bos was geweest op een ijskoude januaridag; hier lagen witte tafelkleden met grote ruiten op elke tafel, de kapmeeuwen hingen in schaterlachende zwermen boven ons hoofd, de klokken van het raadhuis beierden, de trein zong rammelend onder ons, de boten voeren af en aan, de haven pulseerde en de kranen zwierden en zwaaiden op de kades tot aan de Akers-werf, waar mijn vader ooit had gewerkt en was gestorven.

Het enige wat we niet hoorden was een misthoorn, die ik graag had willen horen en die ik voor Linda beschreef. Maar wat moesten we met een misthoorn in de zon? We waren al heel ver van huis, we waren niet bang, we hadden geen honger, we verveelden ons zelfs niet eens.

Maar toen zag ik dit, zo'n beeld waarvoor je een paar dagen of misschien weken of misschien wel een half leven nodig hebt om er de betekenis van te begrijpen, als een klok met wijzers die de verkeerde kant op draaien: mijn moeder was terug en praatte bij de ingang met Marlene die stond te popelen om het dienblad met twee glazen bier dat ze boven op haar gestrekte vingers liet balanceren naar een van de tafels te brengen, mijn moeder en Marlene in een levendige, opgewonden, maar ook bezorgde discussie over het een of ander, mijn moeder die ons zag – wij heerlijk uitgeteld door al dat ijs – en die zwaaide en iets zei met haar rode mond wat we in het geroezemoes van stemmen niet konden verstaan, waarop ze het tasje dat ze in haar hand had, openmaakte en ze een klein badpak omhooghield, voor Linda, begreep ik. Marlene draaide zich om en glimlachte tegen ons in het zonlicht en zwaaide ook, zei een paar afscheidswoorden tegen mijn moeder en zweefde als een wijnrode zwaan tussen de witte tafels door, zette eerst het blad en daarna de glazen neer voor twee mannen in pak aan het achterste tafeltje, glim- lachend, haalde een klein notitieblokje uit de zak van haar schort en lachte om iets wat de ene man zei, schreef iets op en zei weer iets, kreeg geld dat ze met haar linkerhand natelde, om vervolgens een buiging te maken en nog een kwinkslag te beantwoorden en hen in een fraaie zwaai de rug toekeerde – het was een dans, op rozen, een hoogmis, maar wat had ik nou eigenlijk gezien?

Mijn moeder kwam naar ons toe en liet Linda het badpak zien, dat donkerblauw was met aan de voorkant een grote gele waterlelie, en zei dat ze het in haar schooltas moest stoppen, want nu moesten we ervandoor. Jan zette een blad met twee garnalensandwiches op de naburige tafel, kwam aangesneld en hees de plunjezak weer op zijn rug en droeg hem precies zoals hij gedragen moest worden het restaurant uit, de trappen af, over de spoorlijn naar de boot, ja, hij ging zelfs mee aan boord en zorgde ervoor dat we helemaal achter- aan op de achterplecht een plekje kregen, de uitkijkpost, zoals hij het noemde, want als je de prachtige hoofdstad van Noorwegen verlaat moet je niet naar de heuvels kijken, maar naar de stad zelf, op het moment dat die in de verte verdwijnt.

'Tot ziens,' zei hij met een knipoog naar mijn moeder, die op een slapende engel leek toen ze zich installeerde op het sleetse bankje van skai, tegen de reling leunde, haar hoofd ophief naar de zon en waarschijnlijk haar ogen sloot achter haar inktzwarte bril.

De stad verdween in een gouden nevel, met het raadhuis en de kranen op de Akers-werf als een laatste wuivende groet. En ongeveer op datzelfde moment merkte ik dat er iets met me gebeurde, in mijn buik. En in mijn mond. Die liep vol water. Waarschijnlijk kwam dat reusachtige ijsje weer naar boven. En het kwam er inderdaad uit, niet over de reling, want ik had geen flauw benul wat er gebeurde, maar over het dek: er stroomde een witte Amazone tussen gymschoenen en sandalen en slaapzakken en hengels en passagiers door, die opzij sprongen en van alles en nog wat riepen. Ik bleef in een soort bidhouding op mijn knieën zitten en was verbaasd dat er binnen in mij plaats was geweest voor zoveel brokkelige kaassubstantie, met gele en rode stukjes fruit die zo onaangetast waren dat ze eruitzagen of je ze zó weer kon gebruiken. Mijn moeder hielp me overeind en zei 'mannetje toch' en nog een heleboel andere pijnlijke dingen en ze probeerde me schoon te vegen met wc-papier terwijl een potige vent in een zwarte jopper en klakkende klompen zich met een brede grijns en een spartelende brandslang door de menigte elleboogde en het dek schoon begon te spuiten, nadat hij eerst geroepen had zodat iedereen het kon horen: 'Kijk eens aan, hebben we vandaag ook weer een kotser, op een spiegelgladde zee.'

De raadselachtige duizeligheid nam pas af toen we een dik uur later aan land stapten en ik op mijn rug op de kade kon gaan liggen om onbeweeglijk en met gesloten ogen naar de lucht te staren tot alles in me en om me heen weer stilstond.

We waren op Håøya.

Een groen paradijs midden in het Oslofjord. Met smalle wandelpaden en niet veel huizen en drie stranden en grasland dat kronkelend een bos binnendrong dat stampvol was met vogelgezang en rotsblokken en hellingen en struiken en kreupelhout en insecten en diepe kloven, het rijk van een draak, we wisten alleen nog niet of die goed of slecht was.

En toen bleek hier een geheel eigen orde te heersen die zich in de eerste plaats manifesteerde in een persoon die al op de kade naar ons toe kwam om met ons te praten, waarschijnlijk omdat wij de enigen waren die na aankomst moesten uitrusten, terwijl de anderen aan een soort wedren over het eiland begonnen, in de strijd om de beste kampeerplaatsen, zouden we al snel te horen krijgen.

Hij had de leeftijd en het formaat van de opa waar iedereen ooit wel eens van gedroomd heeft, niet al te groot en gekleed in iets wat eruitzag als een kostuum dat speciaal gemaakt was voor juist dit eiland en dit jaargetijde, een erg lange korte broek, ja, een soort kruising tussen een zwembroek en een uniform, wat hem zowel tot een buitenmens als een politieman maakte, plus een kleine schipperspet met een wit, plastic anker erop, stevig naar beneden getrokken over een ijzergrijze haardos, een even grijze baard en lichte, kleine ogen die zowel indringend als vriendelijk waren, maar ook ontwijkend, vooral als hij ze op mijn moeder richtte die nu alleen nog een topje droeg en die haar zonnebril op haar haren had gezet zodat die op een diadeem van zwarte diamanten leek.

Nadat ze hem wat gebrekkige achtergrondinformatie had verstrekt en had verteld dat we onze kaart waren vergeten, zuchtte hij en mompelde: 'Ja, die Kristian, die Kristian.' En hij tooide zijn zongebruinde gezicht met een hele partituur aan verschillende uitdrukkingen. Wij werden ongerust en niet zo'n beetje ook, maar dat zag hij gelukkig en hij begon meteen op fluisterende toon te vertellen dat het niet zo was dat je hier kon komen en tot in eeuwigheid je tent kon laten staan, er bestond onder andere iets wat een verkasdag heette, zodat mensen niet bleven plakken en wekenlang dezelfde plek in beslag namen. Dat hield in dat je slechts twee nachten op één plek mocht blijven. Daarna moest je je tent afbreken en hem naar een andere plek verkassen. Het was ook verboden om alcohol te nuttigen en er was iets met eten en een winkel wat ik niet helemaal begreep.

'Jullie mogen me Hans noemen,' mompelde hij als een soort ver-
zoenende afsluiting van dit reglement waar we noch de strekking,
noch het nut van begrepen.

'Waarom?' vroeg ik en voelde een schop tegen mijn scheenbeen
van mijn moeder die de kleine schipper smekend bleef aankijken,
wij waren niet het soort mensen dat niet beseft wanneer ze afhankelijk zijn van anderen.

'Eh, ja, zo heet ik,' zei hij bedremmeld en hij verplaatste zijn blik
van mijn moeders topje naar Linda, die simpelweg had besloten dat
zij hier niks mee te maken had.

Mijn moeder: 'Maar is hier dan geen tent?'

'Ja, die is er wel,' zei Hans in zijn ondoorgrondelijke wijsheid, en
toen werd Linda opeens toch wakker. Ze keek ernstig naar hem en
zei langzaam: 'Wij hebben ijs gehad.'

'Eh … zo, zo, wat je zegt. Ja, dat was wel lekker, zeker?'

'Ja.'

Er viel een stilte. Linda: 'Wij zijn op vakantie.'

'Ja, juist. Mhm …'

Meer was er niet voor nodig. Hans pakte onze plunjezak, zei 'kom
mee' en droeg hem zoals hij gedragen diende te worden – hij ook
al – liep voor ons uit over de grasvlakte, waar de vakantievierende
hordes druk doende waren hun tenten op te zetten, sloeg een smal
paadje in en leidde ons door een dicht hazelaarsbos, een helling op,
tussen een paar rotsen door tot zich een klein, vlak grasveld openbaarde in het verder zeer geaccidenteerde terrein, een hooggelegen
oase met uitzicht over zee en een paar eilanden, als het al niet het
vasteland was; daar bleef hij staan luisteren, naar een tent als het
ware, om hem vervolgens zogenaamd opeens te ontdekken, onze
zespersoonstent: daar stond hij namelijk, aan de rand van het bos in
de noordelijke hoek van het paradijs. Hij was blauw als de zee en de
hemel en de dag, met een oranje voortent, bij elkaar een heel huis,
een twee-onder-een-kap.

Mijn moeder vroeg of dit het echt was, en Hans zei ja, dit was
Kristians tent. Toen volgde er een op zijn zachtst gezegd vaag verhaal waarom nu juist Kristian – waarschijnlijk – het recht had om
zijn tent hier zogezegd muur- en spijkervast en tegen alle regels in te

laten staan, en hij drukte ons op het hart dat als iemand ons zou ontdekken en zou vragen wanneer we van plan waren te verkassen, we
moesten zeggen dat we niet hadden geweten dat dat moest, waarna
we de tent moesten afbreken en hem een eindje verderop weer neer
moesten zetten, zes, acht meter dichter bij de bosrand, maar dwars,
zodat er ook dan toch geen plek was voor een andere tent. Maar
als niemand iets vroeg, en dat was het waarschijnlijkst, want deze
plek was geheim, dan hoefden we hem helemaal niet af te breken,
een uiteenzetting waardoor ons lichtelijk het onrustbarende gevoel
bekroop dat we maar al te goed kenden, het gevoel in dekking te
moeten leven, overgeleverd aan andermans genade.

Mijn moeder zei 'bedankt' en 'wat mooi' en: 'Dit had ik nooit
verwacht. En hij lijkt ook niet veel brandschade te hebben.'

'Nee, dat is alleen maar op een van de stokken en een stukje aan
de achterkant,' zei Hans en hij knikte naar een bruine vlek die ons
anders niet eens zou zijn opgevallen.

Ik had de sleutel tevoorschijn gehaald, maakte het kleine hangslot open en kroop de voortent in, waar het 219 graden was en het
verschrikkelijk stonk, vanwege een paar sportschoenen, zo bleek,
die Hans met een stok opviste en de helling af gooide. Gelukkig kon
je de voortent en het doek van de achterste tent openslaan, zodat
er een bevrijdend zacht zomerbriesje door de kokend hete kas kon
waaien.

Binnen bevonden zich slaapzakken en luchtbedden, een strandstoel
en vier krakkemikkige campingstoelen, een even krakkemikkige tafel
plus de beroemde canvas zak waar we water in moesten halen en die
we aan de boom daarginds konden ophangen.

'En daar kunnen jullie een kampvuur maken,' zei Hans terwijl hij
in de richting knikte van een cirkel stenen die werd omgeven door
nog een cirkel, van oude boomstammen waar je op kon zitten.

'Jippie!' brulde ik.

'Nee, hè,' zei mijn moeder.

'Ik wil ook een kampvuur,' zei Linda.

En Hans glimlachte alsof hij al bij het gezin hoorde, in elk geval alsof hij had begrepen dat wij mensen waren op wie hij echt
indruk kon maken, drie onbeschreven bladen op het gebied van de

vreugden van het campingleven.

'Daar in het bos vind je vast wel droog hout,' zei hij tegen mij en hij vroeg me de canvas emmer mee te nemen, liet me zien waar de dichtstbijzijnde drinkwaterkraan was en hoe ik de emmer in de boom moest ophangen. Hij zei ook iets over het geheimzinnige eten, dat je hier maar één winkel had die blijkbaar slechts een paar uur open was, op sommige dagen, het was onduidelijk wanneer, dus was het slim om wat eten te regelen van een boot die nu en dan langskwam vanuit Drøbak, maar ook die kwam op zeer onregelmatige tijden; we konden ook zelf naar de wal gaan en daar boodschappen doen, wat misschien nog wel het makkelijkste was, ja, dat denk ik wel, zei hij tot slot.

En dat allemaal was blijkbaar om ervoor te zorgen dat de mensen hier niks als vanzelfsprekend zouden beschouwen en het hier zo prettig gingen vinden dat ze hier bleven.

'Ja, ja, zo is dat nou eenmaal,' zei Hans met een tevreden glimlach.

Mijn moeder begon wat onrustig te drentelen in plaats van te beginnen met uitpakken, een signaal, zo begreep ik, dat we nu niet meer welwillendheid van Hans konden accepteren zonder net zo peilloos diep bij hem in het krijt te komen staan als al bij Kristian het geval was. Dat begreep hij ook.

'Ja, ja, gewoon zeggen als je iets nodig hebt, ik woon in Vika.'

Mijn moeder bedankte hem nogmaals, schudde zijn hand, en Hans vertrok.

We waren alleen in een paradijs en hadden geen vinger uitgestoken om dat te verdienen, maar je kon niet zeggen dat we het niet wisten te waarderen. We waren door het dolle heen, vooral ik, zoals gewoonlijk. Er was het afgelopen uur ongetwijfeld ook menige steen van mijn moeders hart gevallen, na de eindeloze reis, met bus en boot, en nog voordat de primus was aangemaakt en het spek en de worstjes in de pan lagen, was Linda al drie keer gaan slapen, in verschillende slaapzakken, en weer opgestaan. Een zomer heeft vaak een of meer namen en deze heette op de eerste plaats de zomer dat Linda leerde zwemmen.

13

Nu was dat niet zo eenvoudig, Linda leren zwemmen. Want nadat ze met haar medicijnen was gestopt sliep en at ze niet alleen minder, maar begon ze ook zo zoetjesaan haar eigen gang te gaan. Mijn moeder had het er al een paar keer met me over gehad.

'Vind je niet dat Linda de laatste tijd nogal koppig is?'

Er was vooral een maand geleden een heel gedoe geweest toen er een meningsverschil ontstond over de activiteiten van de tandenfee: de koers van zowel kiezen als voortanden bleek namelijk fors gestegen te zijn sinds mijn tijd, en ik was zo vrij geweest mijn moeder daarop te wijzen, al werd dat vervolgens radicaal door haar ontkend. Maar Linda wilde mij absoluut de munten geven die ze 's ochtends in haar waterglas aantrof, met als gevolg dat de koers plotseling weer daalde, tot een all time low, iets wat Linda weer niet accepteerde enzovoort, we waren weken bezig geweest met die tanden.

Nu was Linda dol op water en trok ze haar badpak al voor het ontbijt aan en zat ze de hele tijd in mijn oude zwembandje in het water tot ze met geweld aan land werd getrokken. Ze wilde niet naar ons luisteren en bleef niet in het ondiepe, maar waadde het water in tot haar voeten de bodem niet meer raakten en ze ronddreef als een dobber, recht op en neer met dichtgeknepen mond, al watertrappelend of wat ze ook maar aan het doen was, wat betekende dat mijn moeder en ik als reddingsboeien om haar heen moesten pootjebaden en haar in een gunstige richting moesten proberen te duwen, landinwaarts dus, terwijl we – tevergeefs – riepen dat ze haar armen moest bewegen. Die gebruikte ze alleen om zich vast te klampen aan de zwemband, wat volkomen zinloos was, aangezien mijn moeder die zo strak om haar heen had gesnoerd dat hij op haar hele bovenlijf een schaakbordpatroon achterliet.

Het was een ouderwets type zwemband, gevoerd met rendierhaar, geloof ik, die water opzoog en die langzaam maar zeker van een drijfhulp in een zinklood veranderde, zodat je hem met geregelde tussenpozen op de rotsen moest uitslaan of erop moest stampen, zodat iets van het water eruit liep, en eigenlijk moest hij ook in de zon te drogen worden gehangen. Maar hij droogde nooit helemaal op en bleef de hele zomer nat, en koud, zodat Linda elke keer dat ze hem omdeed rilde, met het gevolg dat ze hem het liefst de hele tijd wilde dragen, iets waar mijn moeder fel op tegen was.

'Dan word je ziek.'

Bovendien was ze erg verbrand, vooral op haar schouders en in haar gezicht, ongeveer het enige wat boven water uitstak. Ze werd ingesmeerd met Nivea en moest verplicht een wit bloesje aan, ook als ze aan het 'zwemmen' was. En mijn moeder deed weer waar ze altijd spijt van kreeg, maar wat ze toch niet kon laten, ze hoorde Linda uit over wat ze vroeger 's zomers had gedaan, vragen die ervoor zorgden dat Linda opstond en wegliep, wat we ook aan het doen waren, alsof ze daartoe van een hogere macht bevel had gekregen, zodat mijn moeder of ik of allebei achter haar aan moesten hollen, naast haar moesten lopen en met haar praten over wat maar in ons op kwam, tot ze bleef staan en ons aankeek met de blik die betekende dat ze nu iets gehoord had wat haar beviel en ze alles wat de ondoordachte vraag bij haar had losgewoeld weer was vergeten.

Linda keek ons altijd op zo'n manier aan dat ik me afvroeg wat er eigenlijk in haar omging. Ja, naar Linda kijken was alsof je je oog steeds steviger tegen de microscoop van Kristian duwde in de hoop iets herkenbaars, iets begrijpelijks te zien.

Gelukkig kan deze zomer ook de zomer met Boris genoemd worden, die ik al de tweede dag op het strand was tegenkwam. Hij was van mijn leeftijd, van mijn lengte, met een kruin op zijn voorhoofd, net als ik, kwam uit net zo'n woonwijk als ik en interesseerde zich voor strips en boeken en munten en bomen en stalen knikkers en woorden en het heelal, ja, ook hij had geen vader, we waren zo goed als identiek.

Maar hij had een 'oom' die daar samen met zijn moeder was en een paar oudere broers en 'neven', dus bleef Boris alleen over, dat was de reden dat zijn 'oom' ons met elkaar in contact bracht.

'Zeg, kan jij niet met hem daar spelen?' hoorde ik plotseling naast me toen ik op handen en voeten in het zandstrand zat te graven, op zoek naar datgene wat je eigenlijk alleen in de hemel vindt. En daar stond een grote, kale man in een zwart en veel te krap zwembroekje waar helemaal niks in leek te zitten onder zijn blote, bruine bierbuik en met een bungelende sigaret in zijn mondhoek. Naast hem stond Boris, pezig en klein en bruin alsof hij hier zijn hele leven al woonde, gehuld in een te grote zwembroek en met een steelse blik op mijn droomkuil, die nu langzaam maar zeker volliep met zwart water. Ik gaf ongetwijfeld nauwelijks sjoege. De 'oom' vatte de hint en vroeg: 'Weet jij hoe je op krabben moet vissen?'

'Eh …' zei ik.

'Boris laat het je wel zien. Toch, Boris?'

Toen keerde hij ons de rug toe en waggelde weg op slippers die klef kletsten onder zijn grote voetzolen terwijl hij as in het water tikte en zijn blik strak gericht hield op een lichtrood puntje ergens in de eeuwigheid aan de wolkeloze hemel.

Boris stond wat om zich heen te turen, net als ik waarschijnlijk, toen keek hij me bijna recht in de ogen en zei 'kom mee'. Hij liep weg over het strand en vandaar naar een rotseilandje.

Ik waadde aarzelend achter hem aan, op een meter of drie afstand, met de ogen van mijn moeder in mijn rug, voelde ik, naar het rotseilandje waar ik nog niet was geweest en bleef staan terwijl de zeepokken onder mijn voeten schuurden; ik bewonderde Boris die pardoes een enorme kluwen zeewier in waadde zonder een krimp te geven, hij boog zich voorover tot de zee tot zijn haarwortels reikte en viste een tros mosselen op die hij voor mijn voeten smeet.

'Hoe moeten we die open krijgen?' vroeg ik in een poging net te doen alsof ik snapte wat de bedoeling was.

'We slaan ze stuk,' zei Boris. 'Met dit hier.'

Hij had een speciale steen voor dat doel en onder die steen lagen een snoer en een plastic zak. Boris' snoer en Boris' plastic zak.

'De smurrie blijft aan de schelp hangen,' zei hij, 'en dat willen de krabben hebben.'

We visten op krabben. We zaten op onze hurken terwijl de zon op onze ruggen beukte en gooiden een mosselschelp in het water, haalden een rood-groene krab binnen en stopten die in de plastic zak die we vulden met zeewater. Boris liet me zien hoe ik die krengen moest vastpakken en ze naar boven moest halen, niet te snel, niet te traag, je moest geduld hebben en misschien liet hij me wel vooral zien dat als je op krabben gaat vissen nergens bang voor hoeft te zijn als je eenmaal weet hoe het moet; en al die tijd voelde ik de blikken van mijn moeder in mijn rug, mijn moeder die op het strand in Kristians ligstoel lag en die met Linda erover kibbelde in hoeverre er al dan niet een kwartier zat tussen haar vorige duik in zee en de duik die voor de lieve familievrede eigenlijk al twintig minuten geleden had moeten beginnen.

'Kan jij zwemmen?' vroeg Boris.

'Ja,' zei ik.

'Kom mee,' zei hij weer; hij waadde het water in en begon te zwemmen, en ik erachteraan. De zeestraat in, naar de landtong aan de overkant van de baai, een afstand waar ik in mijn eentje nooit aan had durven beginnen. En mijn moeder ook niet. Ze kwam overeind en ging naast de strandstoel staan met haar hand boven haar ogen, als een standbeeld voor alle moeders die door de eeuwen heen zomer na zomer zo op strand na strand hebben gestaan en die dat waar ze het meest van hielden, hebben zien verdwijnen, hun ondergang tegemoet. Ik bleef maar zwemmen, zo ver dat ik mezelf overtrof. Naast Boris, mijn nieuwe vriend die – zoals ik nu met nog meer plezier kon vaststellen – niet beter zwom dan ik, maar ongeveer even goed, zodat we keurig naast elkaar verder dobberden en waarschijnlijk slechts twee volkomen identieke hoofden waren die steeds kleiner werden, als erwtjes en ten slotte als kopspelden om vervolgens helemaal te verdwijnen aan de horizon die dood en eeuwigheid heet.

Toen we aan de overkant waren, klauterden we aan land, gingen op een gladde rots zitten in een vreemd land en keken naar de verte waar we vandaan waren gekomen, naar het standbeeld voor alle moeders dat daar nog steeds stond, piepklein, en dat haar warmte en vermaningen en schrikbeelden uitzond en al die dingen die moeders door het heelal kunnen uitstralen. Ik moest glimlachen, stond op, zwaaide naar haar en zei:'Kijk.'

'Waarnaar?' vroeg Boris.

'Ze zwaait niet terug,' zei ik.

'Hè?' zei Boris.

'Ze is kwaad,' zei ik en ging weer zitten.

Daar dacht Boris over na en hij keek me aan met een nieuwe glimlach, omdat hij hetzelfde begreep als ik al begrepen had voor we de evenaar passeerden, dat er hier iets was opgebloeid wat zou blijven bestaan en ons allebei zou overleven, en dan overdrijf ik niet. Maar we waren die dag in die zomer in een stemming om te overdrijven, we overdreven meer dan ooit. Dus toen Boris voor de derde keer 'kom mee' zei, kon ik niets anders doen dan hem volgen, ieders gezichtsveld uit, de bosjes in, Boris' wereld, een onoverzichtelijke wildernis vol knoestige bomen en struiken, een sluimerend vuurwerk van ravijnen en vogelgezang dat in je oren dreunde, van schaduw en zon en kou en warmte, over een pad waar alleen Boris vanaf wist, tot ik het nu ook leerde kennen, want dit was echt het rijk van de draak en van de oehoe, er plakte een fijn, talkpoederachtig stof aan onze natte voeten waardoor ze op botten leken, stof dat alleen te vinden was op dit pad dat naar een rotspunt leidde waar alles plotseling licht werd en zich vijftig meter onder ons een andere baai openbaarde, met een eenzame oranje tent.

Boris zei dat we op onze buik moesten gaan liggen en naar de rand van de afgrond moesten tijgeren. Beneden op het strand zag ik iemand op een luchtbed naast de tent liggen, een vrouw die topless lag te zonnen met kolossale koperbruine tieten en ze droeg ook geen broekje, besefte ik na een poosje.

'Die ligt daar elke dag,' fluisterde Boris.

Ik keek. Er was niemand anders te bekennen. Alleen dit overdonderende wezen dat daar stillag als een lijk of alsof ze diep in slaap was en die op niets leek wat ik ooit had gezien en die snaren in me raakte waarvan ik niet wist dat ze bestonden.

'Mijn broers noemen haar Tjokvol,' zei Boris.

'Ze is oud,' snapte ik plotseling.

'Zeker vijftig, ja,' zei Boris deskundig. 'Maar dat zie je hiervandaan niet. Zullen we wat verder naar beneden gaan?'

'Neee …'

We lagen op onze buik Tjokvol te bestuderen. We konden onze ogen met geen mogelijkheid van haar afhouden. Het maakte niet uit dat ze oud was en ver weg of morsdood, ze werd groter naarmate we langer staarden, bruin en verleidelijk, een gestrande walvis in het elektrische zonlicht.

'Mijn broers zeggen dat ze weet dat we hier naar haar liggen te kijken,' fluisterde Boris opeens.

'Wat?'

'Ja, en dat ze dat leuk vindt.'

'Hè!?'

'Wacht maar tot ze gaat zwemmen, dan snap je het wel.'

We wachtten tot Tjokvol ging zwemmen. Dat duurde een poosje. Maar toen werd ze eindelijk wakker, pakte eerst het horloge dat naast het luchtbed lag en keek daarop, veegde wat onzichtbare stofjes van haar buik, ging zitten en werd nog groter, keek om zich heen en borstelde iets van haar schouders en dijen, vast stuifmeel, of insecten; toen stond ze eindelijk op en bleef met haar handen op haar heupen staan, loom, peinzend en liet haar blik een paar keer door het dampende zomerlandschap dwalen, lusteloos en langzaam.

Daarna deed ze de eerste stap in de richting van de zee, wankelend en onvast op de schelpen en zeepokken en scherpe stenen, haar armen uitgestoken als balancerende vleugels en met haar rug naar ons toe, tot aan de laatste steen, waar ze even pauzeerde en weer om zich heen keek, naar de zee en het land en de bomen en de heuvels, ze streek weer over haar schouders, boog zich voorover en voelde aan het water, en nu zagen we haar van opzij.

'Ze kijkt alle kanten op,' fluisterde Boris nauwelijks hoorbaar. 'Behalve deze kant.'

'Hè?'

'Zie je dat dan niet? – ze kijkt nooit deze kant op!'

Ik snapte het nog steeds niet. Nu begon Boris zijn geduld te verliezen, hij vertelde dat ze hier elke zomer was en dat hij en zijn broers niet de enigen waren die dat wisten.

'Kijk.'

Ik keek om me heen en ontdekte dat de plek waar we lagen aardig platgewalst was, als een kampeerplaats.

'Er komen hier ook volwassenen,' zei Boris nadrukkelijk. 'Mannen.'

'Wie dan?'

'Nou … de beheerder in elk geval.'

'Hans?!'

'Mhm. Maar ik geloof niet dat mijn oom ervan weet.'

'Hoezo niet?'

'Weet ik niet …'

Ik begreep dat Boris er spijt van had dat hij over zijn 'oom' was begonnen.

Tjokvol liet zich nu opslokken door het water en dat was weer een openbaring, want net als walvisjagers in het kraaiennest keken we van bovenaf de zee in; als door een gigantisch groen vergrootglas zagen we haar helder en duidelijk als een breedvleugelige vogel die zich in een statisch geologisch tempo voortbewoog, de ene zwemslag na de andere, schoolslag. En inderdaad, toen ze zich geluidloos op haar rug wentelde en ons op datzelfde moment recht aankeek, werd ik getroffen door het bekende gevoel dat ofwel zij blind was, ofwel wij onzichtbaar. Er dreef daarbeneden een tweekoepelige kathedraal van rubber, nog steeds met die blinde blik op ons gericht. En er gebeurt iets met je als iemand je eindelijk ontdekt – je ziet jezelf van buitenaf, ziet je speciale rare trekjes, dat wat alleen van jou is en wat alleen in jou omgaat, maar waar je toch nooit van geweten hebt, zodat jij niet zelf ontmaskerd wordt, maar iemand anders, een kopie, een misdadiger, tot je moet toegeven dat je het de hele tijd in je hebt gehad, je hebt het alleen niet geweten, pas toen het te laat was, maar tegen die tijd ben je al een ander geworden.

'We moeten de krabben weer loslaten,' fluisterde Boris ademloos terwijl hij geruisloos achteruitschoof over het kleine stukje gras. 'Ik laat de krabben altijd weer los.'

14

Maar deze zomer zou ook de zomer met Freddy 1 kunnen heten, ook al ging niks volgens plan, iets waar ik ook wel op voorbereid was, geloof ik. Twee dagen nadat hij mij Tjokvol had laten zien, dook Boris plotseling op bij onze tent, keek om zich heen, goedkeurend, liep toen op mijn moeder af en stelde zich voor alsof hij een man van achtentwintig was.

'Ik ben Boris,' zei hij terwijl hij haar recht aankeek.

Mijn moeder zette grote ogen op en glimlachte verbouwereerd terwijl ik besloot dat ik dat verdorie ook een keer ging proberen, want allemachtig, wat een effect.

Mijn moeder was de afgelopen twee dagen bezig geweest met mij uit te schelden omdat ik de evenaar was overgestoken en met Linda te troosten die ontdekt had dat het water waarin ze zwom zout was en die naar huis wilde. Ik had ook op mijn donder gekregen omdat ik haar nieuwe signalen niet had begrepen: het zat namelijk zo dat Hans nog steeds voortdurend langskwam, zowel hier in ons kampement als op het strand, met een of andere nieuwe regel of een gouden tip, waarvoor hij dan ruim de tijd nam, en mijn moeder vond dat ik in de buurt hoorde te blijven, zonder dat ze me hoefde uit te leggen waarom, ik werd geacht dat te begríjpen.

'Snap je?'

'Eh … ja, tja …'

'Waarom ging je dan toch weg?'

Nu keek ze naar Boris alsof hij de soort zoon was die ze eigenlijk had willen hebben.

'Ik moest komen zeggen dat de winkel over een half uur open gaat,' zei Boris, 'en dat je dan gerookte worstjes en brood kunt kopen en een soort beleg waarvan ik de naam niet meer weet … de vorige keer hadden ze in elk geval leverworst.'

'O?' zei mijn moeder, meteen weer op haar hoede. 'Van wie moest je dat zeggen?'

'Van niemand. Van mezelf.'

Weer keek ze hem goedkeurend aan, toen draaide ze zich om naar mij met een iets andere uitdrukking op haar gezicht.

'In dat geval vind ik dat jij dit mee moet nemen, Finn,' zei ze terwijl ze haar beurs pakte en mij een geel tientje gaf, 'en naar de winkel moet gaan om te kijken wat er te krijgen is. En geen ijs!'

'Ze hebben geen ijs.'

'O?'

'Nee, ze hebben bijna niks en ik weet niet of kinderen er wel iets mogen kopen.'

'Dus jij denkt dat ik mee moet gaan?'

'Dat is wel het beste, ja.'

Mijn moeder wist Linda uit de tent te lokken, waar ze zich had verschanst in afwachting van het einde van de vakantie en het zoute water, waarna we achter elkaar het smalle serpentinepad af liepen naar het kampeerterrein terwijl mijn moeder van de gelegenheid gebruikmaakte om Boris te vragen hoe hij wist waar wij woonden. Daar gaf hij geen antwoord op, maar wel op zo'n manier dat ons duidelijk werd dat er niet veel op dit eiland gebeurde waar Boris geen weet van had.

Bij de aanlegsteiger gekomen gingen wij daar met bungelende benen zitten terwijl mijn moeder naar de geheimzinnige winkel liep die eigenlijk niet meer was dan een grijs geverfd huis op de helling waar het karrenpad uitkwam op het weggetje naar de steiger. We gooiden steentjes in het water en Linda begon weer te klagen dat het water zout was.

'Ja, gelukkig,' zei Boris luchtig.

Ze keek hem vragend aan. 'Ja, dan drijf je beter,' zei hij terwijl hij haar eens goed bestudeerde.

Linda keek alsof ze 'hè?' zei. 'Ja, in zout water kan je niet verzuipen,' legde hij uit.

Linda keek van Boris naar mij. Ik knikte. En Boris bleef haar bestuderen alsof hij op het punt stond iets te ontdekken, een uitdrukking die ik het afgelopen halfjaar op veel gezichten had gezien en die ik altijd vervelend vond, het was een horde die we moesten nemen.

'Kan jij niet zwemmen?' vroeg hij.

'Jawel,' zei ze.

'Nou, waar maak je je dan druk om?'

'Hè?'

'Ja, je hoeft het toch niet te drinken.'

Linda keek weer naar mij, met het onzichtbare begin van een glimlach die beton kon laten zweven.

'Kan ze nou zwemmen of niet?' vroeg Boris om eindelijk duidelijkheid in de zaak te krijgen. Ik knikte en Linda zei: 'Mhm.'

'Ja, ja,' zei Boris onverschillig en hij smeet grind in het fjord, tuurde over de waterspiegel en naar de kade, krabde zonder redenen aan zijn gezicht en aan een allang geheelde schaafwond op zijn linkerknie, zodat ik kon vaststellen dat we die horde genomen hadden en dat hij zich nu ook zat af te vragen wat we konden gaan doen, net als ik doe wanneer ik op de wip zit tussen het zó fijn hebben dat ik bijna barst en een begin van verveling.

Toen kwam mijn moeder terug, geschokt tot in het diepst van haar ziel, kon ik constateren vanwege haar agressieve manier van lopen. Ze had een grijze zak bij zich die ze tevergeefs probeerde te verbergen onder de blouse die ze had aangetrokken toen we het kampeerterrein verlieten, dat we trouwens Dagros hadden gedoopt, dat was Linda's idee.

'Wat een winkel,' zei ze en ging zitten.

'Ja, eigenlijk mag je hier niks verkopen,' zei Boris.

'En dan moet je het eten nog verstoppen ook. Allemachtig!' zei mijn moeder terwijl ze de zak openmaakte die twee kilo gerookte worst bleek te bevatten, een bos worteltjes, twee broden en een pond margarine die in de zonneschijn al lekker zacht was geworden. Omdat Linda en ik allebei dol zijn op rauwe gerookte worst liet ze al haar principes varen en gaf ons er ieder een, nadat ze er eerst van eentje met haar lange nagels het velletje had afgehaald.

'Hoe zit dat met jou, Boris, heb jij al ontbeten?'

'Eh, nee,' zei Boris. 'Mijn oom doet niet aan ontbijt.'

'Wil jij er dan ook een?'

Boris pakte ook een worst en at hem net als ik met velletje en al, het geluid van het broze velletje dat tussen je voortanden knapt, zodat je mond wordt gevuld met die koude rooksmaak die zowel zacht als stevig is en waar zelfs de smaak van gebakken spek nauwelijks aan kan tippen. Mijn moeder nam er ook een, zonder vel, net als Linda. Toen we ze ophadden, kregen we er nog een. En daar moesten we erg om lachen, dat we hier zaten en lak hadden aan het parlement en de regering en zoveel illegale worsten naar binnen propten als we maar wilden.

Zo bleven we zitten, achteroverleunend op onze ellebogen en met bungelende benen, de geur van zeewier en bos en stuifmeel en Nivea in onze neusgaten, het geluidloze insectengezoem in onze oren en zonder iets te zeggen, wat erg ongewoon was voor ons, wij, die normaliter aan één stuk door praten, besefte ik in al die stilte, tot mijn moeder plotseling met gesloten ogen mompelde dat we hier zo wel eeuwig konden blijven zitten en we glimlachten, maar nu komt de boot zo, ging ze verder, het is zaterdag.

'Zaterdag?' werd ik wakker.

'Ja,' zei ze met een merkwaardige zucht die naar ik wist een tempowisseling inluidde en ze trok een knie op de aanlegsteiger en ging schuin zitten om een geheim met ons te delen, ook met Boris; ze keek naar haar nagels waarmee ze kleine sporen als tekens achterliet in het zachte, grijze hout.

'Er is iets waar ik het met jullie over moet hebben.'

Het kwam er kort gezegd op neer dat Marlene en Jan met deze boot zouden komen, jullie herinneren je Jan nog van dinsdag?

Wij knikten.

Mijn moeder zou diezelfde boot terug nemen naar de stad en zou daar een paar dagen blijven om wat dingen te regelen, wat onze standaarduitdrukking is voor activiteiten die saai, geheim, pijnlijk of noodzakelijk zijn of alles tegelijk. Maar toen Linda's onderkaak begon te hangen en mijn moeder die met een brede glimlach weer op zijn plek duwde en zei 'jij wilde toch zo graag bij Marlene zijn?', toen voelde ik dat het niet alleen zomaar gebeurde, maar dat het ook zo gepland was, het vervolg van een verhaal dat begonnen was op de kade voor het raadhuis, of in restaurant *Friluften*, misschien al wel eerder, dat mijn moeder uiteraard een plan had uitgebroed, met de enige persoon aan wie ze ons kon toevertrouwen: Marlene.

En ik besefte dat als Boris en het eiland er niet waren geweest en alle andere dingen die er de afgelopen tijd waren gebeurd waarvan ik dus niet eens goed wist wat ze betekenden, alleen wist dat ze steeds belangrijker voor me werden, ik dan zelf ook zou zijn gaan blèren.

Nu vroeg ik niet eens wat voor dingen ze dan moest regelen, kwam zelfs met geen enkele vorm van protest terwijl ze me nieuwsgierig aankeek. Maar ik staarde alleen maar naar het noorden, naar de zeestraat waar de boot nu inderdaad zichtbaar werd, als een zwemmend zwart-wit Engels dropje dat op de juiste tijd op de juiste plaats arriveerde, net als in de film waar alles als op bestelling opduikt en je alleen maar je mond open hoeft te doen en hoeft te slikken. We hoorden nu ook het geluid van de machines, ijzer en zuigers en gedreun, de doffe echo vanaf de heuvelrug en het bos achter ons die zich vermengde met het gekabbel van de zee en de insecten en de stilte die voor deze ene keer in ons gezin heerste, een gezin dat voor de gelegenheid gelukkig was uitgebreid met één persoon, Boris.

Hij stond op, holde blootsvoets naar de kade en nam als een oude rot de trossen aan die de bootsman hem toewierp. Hans, die ook was gearriveerd, knikte goedkeurend omdat Boris deze vanzelfsprekende handeling uitvoerde, Boris, die deze plek als zijn broekzak kende en die daarna Hans hielp met de rammelende loopplank en die als een blote portier in de houding stond en de stroom nieuwe, aangeklede zomergasten de weg naar het paradijs wees, beginners en veteranen door elkaar, dat konden we nu aan hun gedrag aflezen, de eerstgenoemde in een staat van verwarring die sprekend leek op de toestand waarin wij zelf waren aangekomen, nog maar vier dagen geleden, en de mensen die wisten waar het om ging, de strijd om het territorium, en die in volle galop dit paradijs binnenrenden.

Jan bleek een veteraan te zijn. Hij kwam aan land met meer bagage dan een landverhuizer, wisselde wat woorden met Hans die hij leek te kennen en kwam toen naar ons toe, met Marlene die vandaag wat minder make-up ophad en die Linda weer optilde en haar een knuffel gaf en die nog net op tijd aan mij dacht terwijl Boris zijn succesnummer van vanochtend herhaalde en 'ik ben Boris' zei, waarop ik vaststelde dat het misschien toch niet zo'n briljante voorstelling was.

Ik bleef een beetje achteraf staan, om eerlijk te zijn, terwijl mijn moeder naar de tent liep om een tas te halen. Ik bewonderde de enorme zak proviand die Jan bij zich had en de grote doos van vergeeld plastic, waarin je voedsel koud bleek te kunnen houden; er zat droogijs in dat Jan van de Diplom-ijsfabriek had gekregen, zei hij, en hij liet ons een ijsblok zien waar damp van afkwam en dat volgens hem een paar dagen goed zou blijven voordat het smolt, als het in de doos bleef natuurlijk, maar dan zou hij met de boot een nieuwe lading ijs laten komen, want hij had connecties bij Diplom-ijs.

'Dit is feitelijk een originele ijsbox,' zei hij terwijl hij met een bezittersblik zijn bruine, smalle hand op het golvende deksel legde.

Ja, ja. Het ding moest naar het kamp gereden worden op een karretje dat we mochten lenen van Hans die mijn moeder inmiddels mevrouw noemde en die zei, terwijl ze langs hem liep, dat hij haar snel weer terug hoopte te zien, maar mijn moeder had het te druk met haar afscheidsknuffels voor Linda. Bovendien maakte ik me klaar om een scène te schoppen en dat zag ze.

'Je weet dat ik van je hou, Finn,' zei ze. 'Of ik nu een knuffel krijg of niet.'

Het zou wel bedoeld zijn als een handreiking aan iemand die zich serieus begon af te vragen wat gepast was en wat niet, maar het klonk zo pijnlijk luid over de kade en het verlaten scheepsdek dat er geen knuffel volgde, absoluut niet. Dus herhaalde ze nog maar eens hoeveel ze van me hield, voor het geval dat een dove kwartel het de eerste keer nog niet had meegekregen, ging aan boord en stond bij de reling te wuiven in haar bloemetjesjurk – de jurk waardoor ik meteen die ochtend al argwaan had moeten krijgen, want hier liep ze immers alleen maar rond in een topje en een badpak, die jurk was stadskleding, een uniform, bedoeld voor schoenenwinkels en geasfalteerde straten, dat ze alleen maar droeg als Linda en ik niet met haar meegingen – terwijl de boot weer noordwaarts tufte.

Nu was ik degene die stond te staren naar iemand die aan de horizon verdween. Ik had natuurlijk in het water kunnen springen om erachteraan te zwemmen en ik zou die rotboot verdorie ook wel ingehaald hebben, denk ik – in elk geval overwoog ik het even, maar verwierp het idee meteen weer, liep achter de anderen aan naar Dagros en voelde op het moment dat de tranen uit mijn domme gezicht zouden rollen dat ze toch niet kwamen. De tranen bleven in me steken. Zo erg was het allemaal niet. Of juist wel zo erg, al die nieuwe dingen die het afgelopen halfjaar in etappes of als kleine lawines over me heen waren gekomen, alsof het er bij mij ingehamerd moest worden dat de afstand tussen mijn moeder en mij alleen maar groter werd, alsof ze gestuurd werden door een onzichtbare hand die nauwgezet aan een definitief afscheid werkte.

Toen kwamen de tranen toch. Maar janken heeft nog nooit tot iets goeds geleid; als er iemand is die dat zou moeten weten ben ik dat wel, want Marlene de pientere hoorde het natuurlijk en draaide zich om, ging op haar hurken zitten en zei: 'Het komt allemaal wel goed.'

Dat was het ergste wat ze had kunnen zeggen, op de ergst denkbare toon.

'Wat komt wel goed!?' gilde ik. 'Wat komt wel goed!?'

Ik stond daar als een tragisch figuur uit een smartlap en keek smekend in het onverstoorbare zomergezicht van Marlene de wijze, en meende maar al te duidelijke tekenen te zien dat ze zich afvroeg hoeveel ik wist, of hoe weinig, en hoeveel ik kon hebben, en toen koos ze met tegenzin voor de beste oplossing, zo heb ik later geconcludeerd – ze kwam overeind en zei hard: 'Stel je niet aan, Finn. Je moeder heeft een paar dagen voor zichzelf nodig. En dat werd verdorie tijd ook. Kom.'

Ze liep drie stappen verder door het ritselende hazelaarsbos, draaide zich om, stak haar hand uit en zei op een toon die geen ruimte liet voor discussie of tegenspraak dat ik moest komen en haar het kampement moest laten zien, nu geen flauwekul meer.

Ja, ja, als er iemand ter wereld is op wie je kunt bouwen, dan is dat Marlene. Marlene is een rots, net als mijn moeder vroeger, niet een fladderende duif in de storm die plotseling op een normale donderdag totaal van slag raakt, Marlene is net zo betrouwbaar als de grond waarop je staat, of het nu twee of vijf uur is. Ze laat het nooit afweten, heeft een gelijkmatig humeur en is nergens bang voor, zo'n moeder zou je eigenlijk moeten hebben. Nu was Boris bijvoorbeeld bij de tent bezig om zijn lokale kennis te spuwen tegen Jan, maar ook daar wist Marlene wel raad mee.

'Ga jij maar even met andere kinderen spelen, Boris,' zei ze met een glimlachje dat ook geen tegenspraak duldde. 'Ik wil even met Finn praten. Ik heb een brief voor je bij me,' riep ze in mijn richting.

Boris trok zich inderdaad rustig en bedaard terug en toen kon ik hun laten zien hoe de primus werkte die we met Kerstmis van oom Oskar hadden gekregen: hier pompen, het ventiel opendoen, spiritus erin, aansteken enzovoort – maar een brief?

Dat was ik vergeten, mijn eigen plan. De brief kwam namelijk van Freddy 1, de eerste brief die ik in mijn leven kreeg, als we de brief die Linda bij zich had niet meerekenen, maar die was eigenlijk voor mijn moeder bedoeld, en ook al viel die van Freddy 1 niet bepaald in de categorie gewone brief met envelop en postzegel en geadresseerde en de hele mikmak, het was in elk geval een opgevouwen vel tekenpapier met een rafelige ruggengraat vanwege de spiraalband en twee regels met best keurige, donkerblauwe blokletters: 'Ik ga niet op vakantie. Ik zal op de knikkers passen.'

Dus wist Marlene van mijn plan dat er in al zijn simpelheid op neerkwam dat ik Kristian bij Freddy 1 liet aanbellen om hem de leren zak met stalen knikkers te geven als hij zich naar de boot liet brengen en naar ons toe zou komen en met mij in de voortent zou logeren waar ik alleen lag terwijl mijn moeder en Linda in de binnentent sliepen.

Als Marlene had gedacht dat de weigering van Freddy 1 mijn gedachten zou afleiden van mijn moeders vertrek, dan had ze absoluut gelijk. Maar ik besefte ook iets anders: ik besefte dat noch Kristian, noch Marlene zich echt het vuur uit de sloffen had gelopen om Freddy 1 over te halen, integendeel zelfs – dat ze zijn weigering als een prima oplossing hadden beschouwd, na ruggespraak met mijn moeder wellicht, wat weer betekende dat Kristian ons geheim had verraden; zo'n type jongen was Freddy 1, hij zette zijn omgeving ertoe aan hem buiten te sluiten en dat maakte me woedend. Tegelijkertijd wist ik dat ik dit spelletje nooit doorzien zou hebben als ik de brief gisteren had gekregen, toen alles nog koek en ei was – er is iets raars met zijn ogen, had mijn moeder een keer gezegd, met een niet mis te verstane uitdrukking op haar gezicht.

Ik kon het niet uitstaan.

Dus besloot ik ook Marlene op een zekere afstand te houden, en Jan. Maar nu stond hij daar in zijn blauw-wit gestreepte truitje met korte mouwen en liet ons zien dat het droogijs zo koud was dat het kon branden, kijk maar eens. Hij liet een klein stukje in de waterzak vallen en dat smolt niet, maar liet het water koken, want het verenigde de extreemste tegenstellingen in zich, een mysterie waar je wel door gefascineerd móést raken. Ik holde weg om Boris te halen die ook nog nooit droogijs had gezien en we experimenteerden ermee tot Marlene zei dat we nu het risico liepen dat we de rest van de week warme melk moesten drinken.

Toen Boris en ik later die dag Dagros verlieten, begon ik zonder aanleiding te vertellen over Freddy 1, want ik kon Freddy 1 niet zo in de steek laten als mijn moeder mij in de steek had gelaten en ik praatte over wat hij leuk vond en wat hij niet leuk vond, wat hij kon en niet kon, ratelde aan één stuk door en hield niet op toen we op het strand waren om op krabben te vissen, vertelde over Freddy 1 toen we op de rotsen naar de hemel lagen te staren, want er waren eigenlijk maar weinig mensen op deze aarde die zich met Freddy 1 konden meten.

En daarna deed Boris hetzelfde, want ook hij had een Freddy 1, over wie hij praatte als we voetbalden of naar Tjokvol lagen te kijken en vooral als we ons blootstelden aan gevaren, bijvoorbeeld toen we een keer terugliepen van de rotspunt boven Tjokvol en we Hans, de beheerder, tegen het lijf liepen die plotseling op het pad stond en ons streng aanstaarde, waarop ik ontdekte dat Boris niet het geringste teken van angst vertoonde maar koelbloedig terugstaarde, tot het tot me doordrong dat niet wij, maar Hans op heterdaad was betrapt: een volwassen man is in elke boekhouding veel schuldiger dan een kind.

Ja, niet alleen wij hadden deze ervaring, maar ook de vrienden die we nooit in de steek lieten. En die waren er ook bij toen we de baai over zwommen en op het rotseilandje gingen zitten om te ontsnappen aan Linda en Marlene die dag in, dag uit op de plek lagen die mijn moeder had geconfisqueerd, Linda die nu in het ondiepe gedeelte zwom als een duikboot, zonder zwemband, en die alleen opstond als ze adem moest halen, en dat was niet vaak, en die dan lachend en met gesloten ogen en haar tong in haar mondhoek bleef staan en voorzichtig dat afschuwelijke zoute water proefde; ze werd met de dag bruiner – bruiner dan ik – op die plekken van haar lichaam die niet door haar badpak werden bedekt. Ze werd ook leniger en klauterde achter ons aan naar plekken waar we een week geleden nog geheid met rust werden gelaten, holde over stranden en grasveldjes zonder er al te onbeholpen uit te zien, gaandeweg met zoveel eelt op haar voetzolen dat ze ook over bospaadjes en rotsen met zeepokken kon lopen zonder dat bespottelijke blotevoetenloopje dat zo wijdverbreid is op Noorse stranden. Tater-kinderen hebben hout onder hun voeten. Die vertrekken geen spier. Tater-kinderen, zigeuners en indianen. Met vuil rond hun ogen en gebleekt, stug zoutwaterhaar, schaafwonden op ellebogen en knieën en opengekrabde insectenbeten. Terwijl onze ogen steeds blauwer werden naarmate de zomer vorderde, de meest eeuwigdurende zomer ooit.

15

Er kwam een nieuwe lading droogijs. Er kwam eten, in wisselende hoeveelheden en op verrassende tijdstippen. Er kwam 's nachts een verduisterde boot met sterkedrank waar Hans vanaf wist, maar die hij niet tegenhield. Er werd plotseling makreel verkocht vanaf een viskotter aan de kade. Er was een feest voor de kinderen met een kampvuur en zaklopen en 'Sånt är livet' en een kiosk die plotseling openging en die sinas en worstjes en lolly's verkocht. We konden voetballen en steile rotswanden beklimmen. En er was ook een dansfeest voor de volwassenen met alweer 'Sånt är livet' en mensen die zongen en mensen die vochten en Jan en Marlene die hun verliefdheid etaleerden met diepe, walgelijke tongzoenen. En wij zaten er vanuit het donker naar te kijken, Boris, Linda en ik, het was ons eiland, zozeer zelfs dat als we naar het deinende griezelkabinet van een dansvloer vol volwassenen keken, we in staat waren om minstens drie paar mannenbenen te tellen met talkpoederwit stof tot op hun kuiten.

En toen bleek Tjokvol er ook te zijn. Het duurde alleen even voordat we haar herkenden, met zo ongewoon veel kleren aan en in deze ongebruikelijke omgeving. Ze droeg een witte katoenen jurk en haar armen en benen waren zo bruin dat ze verdwenen in het zomerdonker en haar gedaante veranderde in een grote sneeuwvlok toen ze in de armen van de een na de ander rondzwierde – het was niet eens stuitend, het was zoals het moest zijn, we waren één met deze zomer, we hadden geen leeftijd meer, hadden alleen een lichaam en longen en bloed dat zinderend leven en reuring rondpompte tot in de verste uithoeken en krochten van ons bestaan.

En al die tijd werden we met rust gelaten in onze oase. Terwijl de rest van het tenteneiland op een woonwijk leek waar iedereen constant moest verhuizen omdat iedereen gedwongen was zijn tent om de drie dagen af te breken en naar een kampeerplek te hollen waar ze afgunstig naar gekeken hadden in de hoop dat de tent daar ook zou worden afgebroken, of dat er in elk geval nog geen rij voor stond, zodat je die begeerde plek voor een dag of twee kon bezetten voor je de volgende dag alweer moest gaan opzien tegen de volgende verhuizing. Want het moge duidelijk zijn dat als je twee dagen op een jaloersmakende plek had gestaan, je de volgende twee uiteraard in de sloppen doorbracht, voor je daarna weer aanspraak kon maken op een plekje in de zon. Het was een genadeloze conjunctuur die ik met belangstelling en het medelijden van de bevoorrechte gadesloeg via het dappere voorbeeld dat de familie van Boris gaf, de exotische 'oom' en zijn aardige praatzieke moeder die 'oom' aan één stuk door moest insmeren met zonnebrandcrème omdat ze zo merkwaardig roze en teer was en bovendien zo gevoelig voor tocht, de stakker, plus drie broers en drie 'neven', veroordeeld tot een rusteloos no-madenbestaan dat ervoor zorgde dat het er slechts een van de drie dagen redelijk rustig was.

'Maar dat is in elk geval iets,' zei 'oom' met filosofische rust, waar-schijnlijk omdat de zes jongens zowel het afbreken als het opbouwen van de nieuwe nederzetting voor hun rekening namen, zij het onder zijn autoritaire leiding; hij gaf alle bevelen, deze 'oom' met zijn siga-ret bungelend aan zijn onderlip en as die over zijn bezwete en steeds bruinere bierbuik dwarrelde en over zijn minuscule zwembroekje waar helemaal niks in leek te zitten.

'Eén van de drie dagen, dat is uiteindelijk een hele week.'

Als het systeem werkte, tenminste. Maar dat deed het niet, dat snapt iedereen. Sommigen zijn gehaaider dan anderen. Met het ge-volg dat ook die ene week vaak de mist in ging voor degenen die hem het hardst nodig hadden. Eigenlijk was het net als op de ren-baan, waar altijd die mensen winnen die het het minst nodig hebben, of zoals Freddy 1 zegt: misdaad loont.

Maar dat ging allemaal aan ons voorbij.

Voor deze ene keer. Wij zaten aan de zijlijn en sloegen alles gade, van bovenaf. Wij verhuisden onze tent maar één keer, ongeveer een halve meter, de waterzak hing de hele zomer aan dezelfde boom, het kampvuur brandde in dezelfde cirkel – ook dat was trouwens verboden.

Maar aangezien we ondanks alles flatbewoners waren, gaf dat ons geen enkel superioriteitsgevoel, we schaamden ons eerder. Maar die schaamte werd nooit zo groot dat we de tent afbraken en de helling af liepen om deel te nemen aan het roulerende naziregime op de grasvlakten. Het was en bleef een draaglijke schaamte voor huiselijk gebruik, die tot uitdrukking kwam in het feit dat we Hans' raad opvolgden en liever niet duidelijk zeiden waar onze tent stond als iemand dat vroeg.

'Daarginds,' zeiden we, of domweg 'Ik weet het niet.' Mijn moeder gaf er haar eigen draai aan, ze was hier niet bekend, zei ze, had niet eens een tent, ha, ha …

Maar nu was ze weg en kwam niet terug.

Een paar dingen regelen? Een paar dagen?

Linda vroeg drie keer naar haar. Vooral toen ze er niet bij was om haar voor het eerst met haar hoofd boven water te zien zwemmen, een aanblik waar zelfs Onze Lieve Heer tranen van in zijn ogen zou hebben gekregen. Daarna nam ze genoegen met Marlene die haar de ene zomerjurk na de andere aan- en weer uittrok, als een cadeautje dat je kon inpakken en weer uitpakken en dat je steeds opnieuw kon weggeven en krijgen. Linda kreeg na een poosje ook twee vriendinnetjes, van hetzelfde robuuste soort als Anne-Berit thuis aan de overkant van de overloop, oudere klierige meisjes die haar als een interessant huisdier beschouwden, iets waar ze zich overigens tegen begon te verzetten. Er gebeurde ook iets met Linda, of was al gebeurd, zo langzaam dat je het pas ontdekte toen het te laat was en het nooit meer weg kon gaan. En op een dag was Boris ook weg. Zonder waarschuwing.

Ik stond zoals altijd vroeg op en waste me onder de emmer, poetste mijn tanden en had lak aan het ontbijt waar toch niks van kwam tot Jan wakker werd, Jan die graag 'uitsliep' na alle bezoekjes die hij 's avonds aflegde in de andere tenten, bewoond door vage figuren die Marlene zeer afgemeten begroette als ze haar overdag op het strand aanspraken.

Ik liep naar het grasveld en verder naar de inham waar 'oom' naar ik wist zijn laatste stukje land had veroverd.

Maar daar was slechts een lichte, kotsgroene vlek platgewalst gras te zien. Ik liep door naar het grasveld in Dragevika, trof ook daar geen Boris aan en doorkruiste een uur lang het hele eiland voor ik onverrichter zake terugkeerde naar Dagros, waar Marlene en Linda waren opgestaan en op een plaid zaten te ontbijten.

'Waar is mijn moeder?' vroeg ik.

'Thuis ...' zei Marlene vaag.

'Ze is al bijna drie weken weg,' ging ik zelfverzekerd door omdat ik een kalender had gezien toen ik op de kade was in een poging uit te vinden met welke boot Boris kon zijn vertrokken.

'Dan zal het wel wat meer tijd kosten ...'

'Wát kost tijd?'

Marlene keek me ernstig aan terwijl ik voor haar bleef staan en vond dat ik recht op een antwoord had, aangezien ik met geen woord over mijn moeder had gerept sinds ze was vertrokken. Door haar niet te noemen had ik in zekere zin de hoop op haar terugkeer levend gehouden, ontdekte ik nu, want toen er geen antwoord kwam, was het alsof ze voorgoed was verdwenen.

Die dag begon het te regenen. Het had daarvoor ook wel geregend, maar nu kwam het met bakken uit de hemel. We zaten in de tent te luisteren naar het geroffel op het doek en leken bruiner dan ooit in de primuswalm en het halfduister. We speelden een potje pesten, het enige spelletje dat Linda kende, en we lieten haar winnen tot ik er misselijk van werd, want dat was niet meer nodig en zij begon eraan te wennen, aan al die dingen die ze niet kon, alsof ze daar haar voordeel mee deed. Dus stond ik op, liep naar de voortent, trok mijn zwembroek aan, liep door de regen de helling af en voelde hoe het stof aan mijn voeten plakte, waadde hollend door de plassen op de treurige kampeerveldjes waar geen mens te bekennen was, tot aan ons strand, waar ook niets of niemand te zien was, alleen maar regen.

Ik waadde het verrassend warme water in en begon te zwemmen en bleef maar zwemmen. Nu zette ik geen koers naar de landtong waar we altijd aan land krabbelden als we Tjokvol wilden zien, maar zwom verder, ik ging ervandoor, weg van het eiland, weg van alles.

Maar ik was niet alleen.

Marlene zwom naast me, geluidloos. Marlene was opgestaan en

achter me aan gelopen en had me ingehaald met haar superieure crawlstijl. Nu schakelde ze over op de schoolslag en we zwommen zoals Boris en ik, zij aan zij.

'Heerlijk, hè?' vroeg ze zonder me aan te kijken.

Ik zag ook geen enkele reden om haar aan te kijken. Ik zwom.

'Jij bent een pientere jongen,' zei Marlene. 'Jij hebt het al die tijd al geweten, hè?'

Ik wist helemaal niks, maar door deze onzin voelde ik me zoveel lichter dat ik begreep dat ik nu alleen maar kon doorgaan met waar ik mee bezig was, zwemmen.

Marlene ging zonder vaart te minderen op haar rug zwemmen en keek omhoog naar de regen die nog steeds op ons neer roffelde – het wateroppervlak leek op een grijze egel, uit de bossen aan weerszijden hoorden we een motor van water neerbeuken op de miljarden bladeren, als een waterval van zand en grind en stenen die uit de hemel stortte, over de bossen en de zee – en Marlene zei: 'Je moeder ligt in het ziekenhuis, voor een behandeling. Het is niks ernstigs. Ze wilde jullie alleen niet ongerust maken …'

Mijn zwijgen liet zich niet verbreken. Ik lag nu ook op mijn rug en deed mijn mond open voor de regendruppels die kouder waren geworden terwijl het water waarin ik lag steeds warmer werd.

'Maar dat was misschien niet zo handig?' ging Marlene verder en daardoor werd het nog stiller bij al dat lawaai. Maar hier kon je in elk geval janken zonder dat iemand het merkte. Marlene zei op een heel andere toon: 'Ik weet dat ik je dit eerder had moeten vertellen.'

Twee slagen. Drie.

'Wat?' vroeg ik.

'Dat van je moeder,' zei ze.

'O, dat,' zei ik en voelde een vreemd gevoel van onverzettelijkheid in me opkomen. Dat werd tijd. Het was het besluit dat dit me nooit meer zou overkomen, deze haat en woede omdat ik niet kon beslissen of ik een mes in haar moest jagen of moest beginnen te grienen zodat ze me zou troosten alsof ik Linda was, want ik was geen kind meer en toch ook weer wel en ik wilde geen van beiden zijn, maar iemand anders, alweer.

16

Zo is dat, op vakantie zijn. Dat is beseffen dat je iemand anders had kunnen zijn, als je maar ergens anders had gewoond, omgeven was geweest door andere mensen en door andere huizen dan de rijen flats die als twee dappere bergketens aan weerszijden van de Travervei staan en die moeders en zonen en verraad en vriendschap herbergen. Dat is een diep revolutionair inzicht. Ik zou bijna zeggen dat het een waarschuwing zou kunnen zijn, een voorteken van òf een zenuwin-zinking, òf van een nieuw begin.

We werden wakker in de zon die altijd schijnt als de regen zijn werk heeft gedaan en ontdekten dat we voor het eerst tot aan het vasteland konden kijken, door een nieuwe, heldere lucht. Ik liet Freddy 1 het rijk van de oehoe zien, de vogel die in de toekomst kan kijken en die daarom geen enkele reden heeft om te leven, maar dat toch doet. Ik liet hem de draak zien en Tjokvol en het voetbalveldje en leerde hem trucjes met de bal – we speelden altijd in hetzelfde team, de stoere jongens. Ik was een Boris geworden die een onzicht-bare vriend in alles inwijdde en die niets vertelde aan een dom klein zusje, Linda, die nu helemaal niet meer over mijn moeder praatte en die daarom het gemis en de woede die ik zelf voelde helemaal niet verdiende. Ik koesterde een geheim dat in me opzwol en zich weer samenbalde, als een hartslag; fijne dagen, ik kan niet anders zeggen, we waren veteranen geworden die trossen opvingen en loopplanken neerlegden, die lachten om de onbeholpen nieuwkomers en ik kwam tot de conclusie dat als je eraan twijfelt of je iets waard bent, je jezelf dan moet afvragen of je in staat bent een geheim te bewaren dat in je dreigt te ontploffen, het geheim van een ánder.

Toen was de zomer voorbij.

De boot zou vertrekken. Onze boot. We hadden honderden afvaar-ten gezien en daar zo het onze bij gedacht. Naar huis gaan en een eiland als dit verlaten is als een piano uit een ten dode opgeschreven huis dragen, het is onherroepelijk voorbij, je jeugd is over en alle hoop is vervlogen – ik was hier een maand geleden aangekomen, onschuldig, naïef en gelukkig. Met een moeder. Ik keer terug naar huis als een verweesde cynicus, ik hang over de reling en staar in het schuimende kielzog van de hoestende roestbak die is volgestouwd met onnozele, zondoorstoofde vakantiegasten, de hele eindeloze tocht langs het schiereiland van Nesodden.

We slepen plunjezak, schooltassen en ijskist door het centrum van de stad, de tropisch hete bus in en stappen uit bij Refstad met plunjezak, schooltassen en een kist waar geen droogijs en gerookte worst meer in zitten, staan een paar seconden in het naar diesel stinkende stof te kijken naar de overkant van de Trondhjemsvei en de flats aan de Travervei en weten weer waar we zijn.

En we weten niet alleen weer waar we zijn, maar knikken zelfs een beetje bedroefd vanwege het feit dat de flats er nog steeds staan, in hun merkwaardige stilte. Het is altijd de stilte die maakt dat je de wereld in een ander licht ziet. De stilte in de sneeuw in de winter. De stilte van de zomervakantie. En nu een stilte die niet van ons is, omdat we ons er niet middenin bevinden, maar erbuiten staan en van plan zijn haar te betreden met plunjezak en schooltassen en zomerbruine armen en benen en ruggen. We treden onze eigen stad binnen en herkennen die niet omdat hij ook zonder ons blijkt te hebben bestaan. We glimlachen een beetje zenuwachtig en ongemakkelijk en kunnen haast niet meer wachten, moeten hollen. En schreeuwen. Er klinkt een echo tussen de flats en het portiek. We willen die echo horen. Een vox populi uit de bergen.

Is er hier dan niemand om ons te begroeten?

Nee, er is niemand. Thuisgebleven flatbewoners staan niet op hun balkons en in deuropeningen om afgereisde flatbewoners te begroeten. Een flatbewoner weet wel beter, ook al is hij nooit in aanraking geweest met de hemel. Dit is de hemel. Hier gaat het om. Dus kom niet aanzetten met zoiets abstracts als afwezigheid!

Maar een brief is er in elk geval wel. Op de keukentafel. En rond die eenzame brief is het overal zo onbewoond dat Jan de balkondeur en het keukenraam open moet zetten zodat de nazomer door de bedomptheid kan vegen, zoals we een maand geleden de tent hadden gelucht. Maar het helpt niet. Want degene die hier zou moeten zijn is er niet. Net zomin als de huurder. Alleen die vervloekte brief die Marlene nu met trage, bezorgde bewegingen openmaakt, die ze zoals gewoonlijk weet te verbergen, alleen niet voor mij, ik weet nu beter, en ze vouwt een vel papier open dat ze leest voordat ze luchtig tegen ons zegt: 'Ja, ja. Ze komt over een paar dagen.'

Dan doe ik wat de zomer mij geleerd heeft. De afwezigheid en het paradijs. Ik zeg: 'Laat zien.'

'Wat zien?'

'De brief,' zeg ik kil en wil een tastbaar bewijs hebben dat ze daar niet staat te liegen. Dat bewijs kan Marlene me niet geven.

'Hij is voor mij,' zegt ze ontwijkend.

'Laat zien,' herhaal ik.

'Het is persoonlijk,' zegt ze.

'Ja, ja,' zeg ik en loop naar mijn kamer om niet te hoeven zien hoe Linda het weer voorgeschoteld moet krijgen dat mijn moeder toch niet hier is, Linda die zich erop verheugd had haar te zien sinds Marlene haar ter sprake bracht toen we vanochtend om negen uur begonnen te pakken en Linda niet weg wilde van haar vakantie en het zoute water en de tent en het wonderbaarlijke eiland, maar werd meegelokt onder het mom dat het volgend jaar weer zomer was en, het beste van allemaal – nu gaan we naar huis, naar mamma! Over wie ze de hele lange reis op de boot en in de bus heeft gepraat, terwijl we de weg en het grasveld overstaken en we de trappen op liepen om vervolgens hier binnen te stappen en een rotbrief aan te treffen! Die Marlene openmaakt en in al haar stralende belachelijkheid leest. Ik kan het niet aanzien. Ik kan het niet aanhoren. Ik loop naar mijn kamer en heb geen puf om uit te pakken. Ik smijt mijn schooltas op het bed, doe het raam open, ga in de vensterbank zitten, sla mijn armen om mijn knieën en begin naar de dichtstbijzijnde bergtop te turen in afwachting van het moment dat Freddy 1 opduikt achter zijn raam en me herkent. Dat doet Freddy 1 niet. Freddy 1 blijft in stijl. En dat is in elk geval íéts, om met de 'oom' van Boris te spreken.

17

Je hebt allerlei soorten mensen in ons buurtje. Een blinde bokser en een slechtziende taxichauffeur. Twee stokoude zussen met een grijs geworden herdershond die elke keer als hij het woord 'krant' hoort begint te janken. Mensen die elke herfst 123 kilo vossenbessen plukken en die toch allemaal weten op te eten. Een zootje ongeregelde kinderen die in dakgoten en bomen klimmen en hutten bouwen en ruiten stukmaken. Mensen die kroonkurken en lucifersdoosjes en bierviltjes verzamelen, maar die nooit een spel kaarten aanraken omdat dat goddeloos is. Hier wonen mensen die stotteren en lispelen, dove mannen die fluiten in de portieken, we hebben een vrouw met een open verhemelte en een huisvader die elke lente een nieuwe auto koopt – een Moskovitch – om het geloof in de jaren zestig levend te houden. Hier wonen mensen die hun oudejaarsvuurwerk binnenshuis afsteken, die deuren intrappen en die met hun hoofd tegen het asfalt slaan. We hebben hier zelfs een paar rechtse mensen. Wij zijn een hele wereld op zich. Een planeet die langzaam en onverbiddelijk door de jaren zestig zweeft, het decennium dat een hoed en een jas in een gierende gitaarsolo zou veranderen, het decennium waarin mannen jongens werden en huismoeders vrouwen, het decennium dat Oslo veranderde van een oude vervallen stad met een goed geheugen in iets moderns met galopperende alzheimer, het decennium van de ingebouwde slijtage, van de sociale steenhouwerij van de Noorse cultuurrevolutie, toen het hele coördinatensysteem naar de filistijnen ging – je kon een varken de jaren zestig in sturen en aan het eind ervan er een lucifersdoosje uit krijgen. Een overgewaardeerd, leugenachtig en verkeerd begrepen decennium, míjn decennium.

Mijn moeder komt weer thuis, vier dagen na ons, vier dagen die we samen met Marlene in de flat hebben doorgebracht. De verloren moeder met een beetje afwezig gezicht, bleek, in een nieuwe, vreemde garderobe, en die anders ruikt en korter haar heeft als ze ons omhelst en jankt en vertelt dat ze onafgebroken aan ons heeft gedacht en ons heeft gemist, waarbij ze haar aandacht volkomen eerlijk verdeelt tussen Linda en mij, iets wat Linda uiteraard niet accepteert, ze wil bij mijn moeder zitten en zich aan haar vastklampen – ik vind dat prima, want dan kunnen we daarom lachen, misschien, mijn moeder die problemen met haar buik heeft gehad, zegt ze, maar die nu weer helemaal gezond is, mijn moeder die weer opduikt uit het grote niks en die beweert dat ze ziek in haar buik is geweest en die als eerste zin van haar al net zo verloren zoon te horen krijgt: 'Daar geloof ik helemaal niks van.'

'Wat zeg je?'

Het is onbegrijpelijk hoe volwassenen de meest afgezaagde leugens kunnen verkopen en dan ook nog eens verontwaardigd zijn als ze worden ontmaskerd.

'Jij bent bij Kristian geweest,' zeg ik, zonder te weten waar die tekst vandaan komt.

'Wat zeg je!' zegt ze als een echo van haar eigen domheid. Maar Marlene ziet de ernst van de situatie in.

'Laat hem je hand zien.'

'Wat?'

'Doe nou maar gewoon.'

Mijn moeder steekt met een niet-begrijpend gezicht haar rechterhand omhoog en laat me een bungelend plastic armbandje zien dat lijkt op een rol plakband, met haar naam erop, zie ik als ik me weet te vermannen, en een paar cijfers, maar dan trekt ze hem weer terug – alsof ze bang is dat ik nog meer zal ontdekken.

'Wat maakt het ook uit,' zeg ik en loop weg.

'Jij gaat nergens heen, Finn,' roept ze me achterna, 'hoor je wat ik zeg!'

Ze kan me wat. Finn gaat weg. Kleine Finn. Het moederskindje. Hij loopt de trappen af, nog steeds op blote voeten, het is 17 augustus. Iedereen is terug van vakantie om woensdag weer naar school te gaan, woensdag de achttiende. De straat is vol kinderen, fietsen, lawaai, gelach, oorlog en liefde, je hoeft je er alleen maar in te storten.

Freddy 1 is wit als sneeuw en nog een stukje groter dan toen we hem achterlieten. Hij heeft een paar stalen knikkers in zijn handen die hij laat bewonderen en die hij aan Raymond Wackarnagel probeert te slijten. Maar Wackarnagel weet dat dit niet de stalen knikkers van Freddy 1 zijn, maar de mijne en sommeert hem ze terug te geven – ik heb altijd een zwak gehad voor Raymond Wackarnagel, the good bad guy van het decennium dat hem uitvond.

'Je mocht ze alleen maar lenen,' zeg ik pissig tegen Freddy 1 die op heterdaad is betrapt en die lang niet zo goed kan liegen als mijn moeder. 'Je kunt niet míjn knikkers verkopen.'

'Ik zou ze weer terug hebben gekocht.'

'Wanneer dan?'

'Eh, weet ik niet.'

Freddy 1 denkt na.

'Hoeveel krijg ik van je als ik ze nu aan je teruggeef?'

'Ze zijn van mij!'

'Ja, maar ik héb ze!' zegt hij met stemverheffing terwijl hij zijn rechterbroekzak krampachtig vasthoudt en ik besef dat hij een punt heeft. Wackarnagel heeft ons nu de rug toegekeerd om zich aan dringender zaken te wijden.

'Tien kroon,' stel ik voor en ik zie dat Freddy 1 totaal perplex is, zijn oververhitte hersenen hadden waarschijnlijk op iets tussen de dertig en veertig øre gerekend; hij denkt altijd klein, Freddy, ook als hij op zijn hebberigst is.

'Hè?'

'Ja, ze zijn meer dan honderd kroon waard,' zeg ik.

'Laat me niet lachen.'

'Echt waar,' zeg ik waarbij ik hem aankijk met de Boris-blik, de no-bullshit-blik, rustig als het vizier van een geweer en Freddy tuint erin, dat is waarom Freddy op deze aarde is, om erin te tuinen; hij haalt de loodzware leren zak tevoorschijn, zijn gewicht in goud waard, de zak die een mankepoot van hem heeft gemaakt, houdt hem in zijn handen en wil hem openmaken als ik mijn kans schoon zie en hem weggris.

Natuurlijk doe ik dat.

Ik jat míjn zak. En blijf staan. Ik ren niet weg met mijn eigen kostbaarheden, ook al is Freddy 1 twee keer zo groot als ik. En hij heeft geen andere keus dan me aan te vliegen. Maar Freddy 1 heeft ook vandaag zijn dag niet. Dat heeft hij nooit. Ik heb ook niet altijd mijn dag. Maar vandaag wel. Ik ram de leren zak tegen zijn kokkerd zodat hij door zijn knieën zakt en zijn handen voor zijn gezicht slaat terwijl het bloed tussen zijn grasgroene vingers door sijpelt.

Het wordt stil om ons heen. Tijd om het op een lopen te zetten. Maar ik blijf staan. De zak bungelt in mijn rechterhand. Freddy 1 ligt op de grond en probeert waarschijnlijk te voelen of hij weer doodgaat. Dat gaat hij nog steeds niet. Hij komt overeind, kijkt me aan en herkent me niet. Hij is door een ander neergeslagen. Nu heeft het voorval ongeveer zoveel toeschouwers gekregen als er die zeventiende augustus in de Travervei bijeen te schrapen zijn, en dat is de hele straat. Iedereen dromt samen rond dit ongelijke paar van ongelijke vrienden die elkaar de oorlog hebben verklaard.

Ik voel hoe het beven ergens onder mijn voetzolen begint en zich via mijn buik en schouders naar boven verspreidt, tot ik een bekende stem de stilte hoor verbreken: 'Hou 's op, Finn!'

Wackarnagel wil deze kluwen ontwarren die geen gevecht is, maar een misverstand.

Maar ik blijf bevend naar Freddy 1 staan kijken terwijl ik serieus overweeg of ik hem met de stalen kogels dood zal slaan. Het is een volkomen heldere gedachte die in mijn bloed en in mijn knokkels zit. Ik zie alleen maar hoe ik Freddy 1 en heel dat vreselijke sneue gedoe van hem de schedel zal inslaan met dit ingenieuze wapen dat ik van Kristian heb gekregen en dat ik eigenlijk alleen maar in mijn hand wilde houden om weer te voelen hoe lekker dat is, deze knikkers waarmee ik Freddy 1 probeerde om te kopen om met ons op vakantie te gaan, die rottige vakantie. Die knikkers zijn nu een verlengstuk van mijn hand geworden, een knuppel en een moordwapen, en Freddy 1 ziet wat er omgaat in mijn zieke hoofd en zijn ogen stromen vol, zijn blik flakkert als een smeekbede op het wateroppervlak.

'Finn!'

Wackarnagel zegt mijn naam zoals hij gezegd moet worden. En terwijl ik mijn hand laat zakken en om me heen kijk en doe alsof ik niet krankzinnig ben, ontdek ik de leren zak en pak hem stevig beet met mijn knuist alsof deze hele scène alleen maar betekent dat ik net iets heb teruggekregen wat Freddy 1 van mij heeft geleend.

Ik loop op blote voeten over het gras naar het portiek en daarna de trappen op, voel de ijskoude treden onder mijn voetzolen, loop onze flat binnen waar mijn moeder in de keuken staat met een theedoek en een koffiekopje, en ik zeg: 'Sorry.'

Loop door naar de slaapkamer, waar Linda op bed ligt met een prentenboek dat ik haar heb gegeven, zodat ze de letters leert lezen voor ze naar school gaat.

Ik ga naast haar liggen en vraag hoe deze heet – een h – en die letter, en die. Ze geeft antwoord, zoals altijd, en we verzinnen dieren die met die letter beginnen, meestal andere dieren dan die in het boek staan, want wij willen een draak en een oehoe en een varken hebben en zeewater en een bezem, want Linda is ook dol op woorden, grote en kleine. Ik moet mijn gezicht in haar haren duwen om te constateren dat ze vanavond in bad is geweest. Linda heeft de hele zomer op mij vertrouwd, en ik heb haar de waarheid niet verteld, nergens over, ik zeg: 'Dat daar is een ypsilon. Je meester zal zeggen dat het een "ij" is, maar dat is onzin. Dat is een ypsilon. Kun je dat zeggen?'

Linda zegt ypsilon. Ik pak het spel kaarten dat ik met Kerstmis van oma heb gekregen en zeg dat ze nu whist gaat leren spelen, dat is moeilijker dan pesten, maar het is een echt spel en dat wil Linda niet. Toch leg ik de kaarten op het dekbed en begin haar het spel uit te leggen.

'Je moet!'

Ze kijkt naar beneden en opzij en probeert eronderuit te komen. Maar ik geef me niet gewonnen. En ze leert het. Het is de laatste dag voordat de school begint, de laatste dag van een vakantie die alles heeft veranderd en die ermee eindigt dat ik Linda iets leer wat ze niet wil leren, ik kan niet anders, en zij ook niet, terwijl mijn moeder af en toe in de deuropening komt staan en naar ons kijkt en weer wegloopt en terugkomt en staat te staren omdat ze bij god niet weet wat we aan het doen zijn.

18

De eerste schooldag begint zo: er wordt aan de deur gebeld terwijl wij in een diep stilzwijgen zitten te ontbijten. Mijn moeder gaat opendoen, komt terug en fluistert met onthutst gezicht: 'Het is dat vriendje van je.'

Dat is haar benaming voor Freddy 1. Ik ben verbaasd, maar loop toch naar de gang en zie Freddy 1 staan, met een dikke neus en twee vreselijk blauwe ogen, maar ook met een opgewonden glimlach. Freddy 1 die zegt dat we samen naar school gaan.

Ik laat hem binnen, hij ziet de ontbijttafel, Linda en mijn moeder, rukt zijn schooltas af en gaat op de plek zitten waar onze huurder af en toe zit, neemt de tafel in ogenschouw en zegt: 'Ik wil er een met bruine geitenkaas.'

Mijn moeder glimlacht perplex.

'Ja, pak maar.' Geeft hem een mes terwijl ze grimassen naar mij maakt die 'wat zijn dat voor manieren?' moeten betekenen. Maar ze móét wel vragen: 'Wat is er in vredesnaam met je gezicht gebeurd?'

'Niks,' zegt Freddy 1 en hij kliedert met de margarine terwijl ik mijn ogen neersla, vol schaamte, meer schaamte dan waar ik plek voor heb, en ik weer een verwarde woede voel oplaaien. Maar gelukkig pakt mijn moeder hem het mes af en smeert een boterham die Freddy in zijn mond propt, om vervolgens te vertellen wat de reden van zijn komst is, zodat we er bijna geen woord van verstaan. Maar het gaat weer over de stalen knikkers. Het is namelijk zo dat ik er twee aan hem gegéven heb, beweert hij, daar heeft hij een bewijs van, hier.

Hij haalt de brief tevoorschijn die ik geschreven heb voor we op vakantie gingen, waar inderdaad in staat dat ik hem die twee knikkers heb beloofd.

Maar dat was op voorwaarde dat hij met ons meeging op vakantie!

Terwijl Linda en mijn moeder het proberen te volgen ruziën wij verder over deze zaak, tot me door het hoofd schiet dat dit misschien mijn kans is om weer mezelf te worden, dus geef ik me gewonnen en loop naar de slaapkamer, haal twee knikkers uit de leren zak en geef die aan hem, twee knikkers waar Freddy 1 met een bijzondere glans in zijn bloeddoorlopen ogen naar zit te kijken. Dan stopt hij ze in zijn zak en zegt dat hij een glas melk wil hebben.

'Alsjeblieft,' zegt mijn moeder terwijl ze het glas met een klap op tafel zet. 'En wat zeg je dan?!'

'Dankjewel,' zeggen Freddy 1 en Linda in een onvrijwillig koor. We lachen en ik zie in welk tempo Freddy de melk opdrinkt. Als hij het het op de grond had gekieperd was het glas net zo snel leeg geweest.

Dan gaan we naar school.

Mijn moeder heeft nu een volledige baan in de schoenenwinkel, maar vandaag heeft ze vrij genomen om met Linda mee naar school te gaan, daarna is het de bedoeling dat Linda met ons meeloopt als ze net zo laat als wij begint, of anders met de tweeling van de overkant.

Maar ik heb zoals gewoonlijk weer eens niet goed genoeg opgelet. Ik ben blind geweest, vol van mijn moeders leugens en een zomer die nog steeds in me nadeint, dus houd ik haar op een armlengte afstand en duurt het een week voordat ik op een dag als laatste het schoolplein op kom rennen en ontdek dat Linda met haar schooltas en een verwachtingsvolle glimlach de E-ingang binnen wil lopen, naar de hulpklas. Ik houd haar tegen en zeg: 'Jij moet hier toch niet naar binnen?'

'Jawel,' zegt ze.

Ik voel de woede en het kippenvel opkomen en begrijp dat ze hier elke dag naar binnen is gegaan, elke les, al meer dan een week en dat ik dat niet gemerkt heb omdat ik haar heb gemeden, uit angst dat ik op haar moest passen, of om de schaamte te verzachten die elke keer opkomt als iemand haar voor het eerst ziet en vermoedt dat ze niet alleen klein en hulpeloos is, maar dat er misschien meer met haar aan de hand is.

Ik grijp haar bruusk bij haar arm en trek haar mee naar het school-plein in de schamele hoop dat dit allemaal op een misverstand berust, dat ze misschien naar ingang C moet waar de andere eersteklassers gehuisvest zijn. Maar het is geen misverstand. Achter ons is meester Samuelsen in de hal verschenen in zijn grijze stofjas, omdat hij een leerling mist en hij roept: 'Nu moet je komen, Linda, de bel is gegaan.'

'Nee!' roep ik over mijn schouder en trek haar verder mee.

'Wat nee?' zegt Samuelsen en hij haalt ons met een paar forse stappen in, eerder verbaasd dan boos voor zover ik begrijp, hij is dan ook niet een van de monsters, eerder een wat zalvend, hoogdravend type met ondoorzichtige brillenglazen en een boterzachte stem. Maar ik ben mijn laatste beetje zelfbeheersing kwijt.

'Zij gaat niet bij die idioten zitten!' krijs ik, waarop Linda begint te janken en Samuelsen van kleur verschiet en een reusachtige, behaarde berenpoot uitsteekt: hij zet zijn klauwen in mijn nek en zegt genadeloos met een stem die zacht noch zalvend is: 'Ik zal je eens laten zien wie hier een idioot is, snotneus – kom mee!'

Hij sleept me als een lappenpop over het schoolplein terwijl hij over zijn schouder roept dat Linda naar binnen moet gaan, naar de anderen, dat ze haar schrift tevoorschijn moet halen en aan de les moet beginnen, bladzijde achttien, tekenen …

Ik voel de geur van volwassen man in mijn neusgaten prikken, sigarettenrook, waterbuffel en gekookte groenten, en ik probeer me los te rukken, tevergeefs. Als we het kantoor van de directeur bereiken ben ik zo murw dat ik zijn uitleg nauwelijks hoor. Maar de stem van de directeur is daarentegen niet mis te verstaan.

'Ga hier zitten!'

Hij heette Ålborg, stond algemeen bekend als De Aal en was een kettingrokende, oerdegelijke vertegenwoordiger van de oude school, grijs pak, grijze huid, een kaarsrechte scheiding opzij en gewapend met twee fraaie Parker-pennen in zijn linkerborstzak, een blauwe om brieven mee te schrijven, een rode om voor scherprechter te spelen.

Zodra Samuelsen de kamer had verlaten vroeg hij of ik enig idee had hoe het voor die stakkers moest zijn om idioten genoemd te worden terwijl hij zijn halfopgerookte sigaret uitdrukte op een manier die me vertelde dat het geen zin had hem hier in te wijden in de genadeloze stammenwetten van het schoolplein die inhielden dat van een leerling die in de hulpklas zit niet alleen zijn gedrag en uiterlijk verandert, maar zelfs zijn kleren en ouders en zijn taal; dat zo'n kind daardoor een ramp wordt met wie niemand wil spelen en met wie niemand gezien wil worden, zelfs familieleden niet, ja, dat zelfs de sterkste bereid is zijn eigen broer in zulke gevallen te verloochenen, om nog maar te zwijgen van een zuster – dit heeft Bijbelse dimensies, verdorie.

Maar toen gaven juist die familiebanden deze strafpreek een andere wending.

'Is dat je zúsje?' vroeg Ålborg ongelovig, hij leunde achterover in een soort wachtstand en stak weer een sigaret op.

'Ja!' gilde ik. 'En ze kent het alfabet! Ze kent verdomme alle letters!'

'Niet vloeken!'

'Ze kan lezen!' dramde ik door zodat het speeksel over mijn kin en hals liep. En hij snapte blijkbaar dat hij met een hystericus te maken had en dat hij niet ver zou komen met zijn gebruikelijke machtsvertoon, want hij drukte de nieuwe sigaret ook uit, stond op, ging op de rand van zijn bureau zitten, vouwde zijn handen om zijn knieschijf en vroeg rustig hoe ik heette en in welke klas ik zat, vragen die ik met de grootst mogelijke moeite kon beantwoorden voor ik er weer uitgooide: 'Ze gaat niet naar die klas!'

'Hou daar eens mee op!'

'Ze gaat niet naar die klas! En ik hou niet op. Nooit! Nooit!'

Nu gooide de Aal het over een andere boeg: 'Dus jij zegt dat ze kan lezen, ja, hm, interessant ...'

Ik was buiten adem, maar knikte fanatiek terwijl hij naar een enorme archiefkast liep en daar een map met twee velletjes papier uithaalde, hij tuurde ernaar, las ze en stopte ze weer in de map en de lade, die hij met een knal dichtsloeg. Hij keek peinzend uit het raam, stak daarna weer een sigaret op: 'Je moeder heeft erom gevraagd.'

'Waar om?'

Hij knikte, geloofwaardig zelfs, twee keer, drie keer. Maar dit kon ik absoluut niet gehoord hebben.

'Ze kan lezen!' stelde ik voor de laatste keer vast. En de rookpauze werd nog langer, tot hij zei: 'Als dat klopt, dan wordt ze overgeplaatst naar een andere klas.'

Toen zag ik iets wat ik nog nooit had gezien. De Aal glimlachte.

'Er staat hier in de papieren dat je moeder buitenshuis werkt?' vroeg hij.

'Maar ze is thuis als ík thuis ben,' loog ik, heel goed wetend dat alleen probleemkinderen werkende moeders hadden.

'In een winkel …?'

'Hm.'

'Hebben ze daar telefoon?'

'Ja. Twee.'

Ik dicteerde hem de nummers die hij opschreef en deed alsof hij onder de indruk was van het feit dat iemand van mijn formaat twee keer zes cijfers in de juiste volgorde kon onthouden.

'Heb je daar ooit naartoe gebeld?'

'Nee.'

'Maar je kent de nummers uit je hoofd?'

'Ja.'

'Waarom?'

Ik merkte dat hij overwicht op me begon te krijgen, wat was dat verdomme voor een onzin met die telefoonnummers, alsof de man niet wist dat elk kind rondloopt met de een of andere neurotische code in zijn hoofd die gebruikt moest worden als er rampen gebeuren. Hij zei: 'Dat is ongebruikelijk.'

'Hè?'

Hij glimlachte weer, stond op en liep terug naar de archiefkast om er twee nieuwe velletjes uit te halen die blijkbaar ook moeilijk te lezen waren, die zouden wel van mij zijn, de sporen die ik had achtergelaten in de welgezinde boekhouding van juf Henriksen; hij las ze en stopte ze terug en leek nog meer stof tot nadenken te hebben gekregen.

'Wat is er met mijn moeder?' mompelde ik.

'Met jouw moeder is niks aan de hand,' antwoordde hij afwezig en hij schreef met de blauwe pen een paar getallen op een leeg vel papier dat hij vervolgens omhooghield. Hij vroeg me ernaar te kijken, legde het papier toen opeens weer neer en vroeg of ik me er een paar herinnerde.

Ik herinnerde ze me allemaal. Hij grinnikte tevreden terwijl ik me afvroeg of Linda's zaak zou worden beslist op basis van mijn talent om getallen te onthouden, misschien moest ik ook maar op-dreunen hoeveel liter gedistilleerd het Noorse volk jaarlijks naar binnen werkte of wat een nieuwe Hillman kostte bij Økern Auto, al die dingen waar Kristian en ik het over hadden, of hoe hoog de hoogste berg van Zweden was. Die heet de Kebnekaise, dat kun je zo opzoeken in een quizboek.

Ik voelde dat ik niet alleen geïrriteerd, maar vooral onzeker begon te worden en toen pas besefte ik dat hij me te slim af was geweest, mijn boosheid te slim af was geweest.

'Je zou moeten gaan schaken,' zei hij.

'Doe ik al,' zei ik.

'O? Georganiseerd?'

'Hè?'

'Bij een club?'

'Nee.'

'Er is toch een goeie club in Veitvet?'

Ik gaf geen antwoord. Maar daarmee was de zaak beklonken. De directeur stak nog een sigaret op. 'Ga maar naar je klas, Finn, dan zal ik deze zaak eens bekijken.'

Ik stond op en merkte dat het zweet op mijn lichaam was opge-droogd, ik voelde alleen de littekens van Samuelsens berenklauwen nog. Ik hing mijn schooltas op mijn rug, maar kon me er toch niet toe zetten weg te gaan.

'Ik kan natuurlijk niks beloven,' zei hij tot slot en hij draaide zijn sigaret rond voor zijn smalle lippen alsof hij zich erop verheugde hem overdwars in zijn mond te proppen zodra ik de deur uit was.

Ik boog mijn hoofd en ging weg, via het kantoortje waar juffrouw Nilsen in een donker nauw secretaresserokje en met een ovale bril ook fanatiek zat te roken naar de lege gangen en het klaslokaal, liep naar binnen zonder te kloppen, ging zitten en haalde mijn boeken tevoor-schijn zonder acht te slaan op alle blikken die op mij gericht werden. Of op juf Henriksen die geërgerd vroeg waar ik was geweest.

'Bij de directeur,' zei ik alleen maar en kreeg Tanja zover dat ze zich omdraaide en naar me glimlachte, Tanja die in maart uit de klas was vertrokken, maar die nu weer terug was, omdat de circuswagen van haar vader een lekke band had gekregen, volgens Freddy 1. Nu kon ik eindelijk aan iets anders denken.

'Ze hebben vanochtend de hutjes van Geel, Rood en Blauw gesloopt,' zei ik hardop.

'Wat?'

Juf Henriksen was niet gewend dat ik voor mijn beurt praatte of in raadselen sprak, ik was eerlijk gezegd haar lievelingetje, maar op weg naar school had ik drie volwassen mannen in gelid als kinderen zien staan janken omdat hun gammele schuurtjes werden platgewalst en die aanblik was absoluut te verkiezen boven de gedachte aan Linda.

'Ze hebben de huizen van de mensen die in Muselunden wonen gesloopt,' zei ik. 'Met een bulldozer. De juten waren er ook.'

'O ja?'

'En ik ben blijven staan kijken. Ja.'

Ik sloeg mijn ogen neer, als in gebed bijna. Juf Henriksen wist duidelijk niet goed hoe diep ze in de zaak Geel, Rood en Blauw verwikkeld moest raken, dus vertelde ik dat ze gearresteerd waren omdat ze illegaal in hun keten woonden en omdat de plantsoenendienst daar een gazon wilde aanleggen, niet alleen in Muselunden, maar ook op de helling naar de Trondhjemsvei, waardoor er een einde zou komen aan de heerlijke wildernis daar. En aangezien ook een paar anderen zich geroepen voelden iets over de zaak te zeggen zonder hun vinger op te steken, begon juf Henriksen te praten over de uitgestotenen van de maatschappij, de nooddruftigen, zoals ze hen noemde. Freddy 1 zei: 'U bedoelt de schooiers?'

'Nee, Fred, dat bedoel ik niet, ik heb het over mensen die misschien niet de liefde hebben gekregen die ze nodig hadden en die daarom ...'

'Blèèèèh,' riep Freddy 1 met een brede grijns terwijl hij om zich heen keek op zoek naar publiek. Dat had hij, het gebruikelijke groepje, maar mij niet, niet vandaag, ik staarde strak voor me uit en zag dat juf Henriksen een paar snelle passen in zijn richting deed.

'Het zijn oorlogszeelieden,' zei ik gejaagd.

'Wat zijn dat?' vroeg Freddy 1 onnozel.

Juf Henriksen bleef staan, vermande zich en liep terug naar haar lessenaar.

'Ja, Finn, kun jij ons uitleggen wat oorlogszeelieden zijn?'

'Nee. Maar het heeft iets met de oorlog de maken. Mijn oom was er ook een … Hij hakt … hout.'

'Hóút?'

'Ja, hij hakt hout in de kelder.'

Juf Henriksen begon te vertellen over het trieste lot van zeelieden tijdens de oorlog, zonder veel succes, wij hadden immers schoon genoeg van de sonore documentaires die avond na avond over het televisiescherm rolden als begrafenisstoeten in zwart mineur. Maar het gaf me wel de gelegenheid om mijn blik laten rusten op Tanja's haar en te luisteren naar de stem van juf Henriksen; die heeft een prettige stem, een van de weinige volwassen stemmen die te harden zijn. Mijn moeders stem is ook prettig, maar af en toe een beetje schel. Marlene praat rustig en altijd op dezelfde toon, of het nu regent of sneeuwt. Jan heeft een te hoge stem. Kristian praat als de radio en de moeder van Freddy 1 heeft een stem waar niemand langer dan een minuut naar kan luisteren zonder eraan onderdoor te gaan.

Dacht ik, terwijl ik zat te kijken naar de lange haren van Tanja die een rivier van glanzende inkt leken. Ik leunde over mijn lessenaar heen om haar geuren op te snuiven, een mengeling van bloemen en benzine, niemand ruikt zoals Tanja en niemand heeft ook zo'n mooie stem, alleen jammer dat ze hem bijna nooit gebruikt; ja, ze gebruikt hem zo zelden dat je de hele tijd zit te denken: zeg toch wat, meisje, ik snak er zo ontzettend naar je stem te horen. En dan heb ik het nog niet eens over Linda's stem, want aan haar kan ik niet denken terwijl juf Henriksens aangename stem is aangeland bij de beroemde oorlogsheld Shetlands-Larsen en ze het verhaal als vanzelfsprekend laat overgaan in de Koude Oorlog, de reden dat we schuilkelders onder elke flat moeten hebben met enorme ijzeren deuren die niet door kinderen onder de twaalf geopend kunnen worden, dit is het atoomtijdperk, waarna ze terugkeert naar Geel, Rood en Blauw en ik zie dat Freddy 1 zit te popelen om te vertellen dat Blauw zijn eekhoorntje altijd aan de meisjes laat zien. Maar zelfs Freddy 1 heeft vandaag controle over zijn ledematen, zelfs Freddy 1 is geraakt door het lot van Geel, Rood en Blauw.

Als de bel gaat sta ik tegelijk met Tanja op en stoot tegen haar elleboog aan, krijg een elektrische schok en zeg 'neem me niet kwalijk' – want ik had van de zomer een vriend die me geleerd heeft wat het je kan opleveren om je te gedragen – en om de een of andere reden denk ik op hetzelfde ogenblik ook aan Tjokvol, de waarschuwing dat het leven levensgevaarlijk is – waarom ga je daar niet gewoon kapot aan?

'Waar ben je geweest?' vraag ik met een stem die het merkwaardig genoeg niet begeeft.

'Wat?' zegt ze bijna zonder geluid. We hebben een dikke drie jaar in dezelfde vierkante meter gezeten, minus de maanden dat ze op reis was en dit is de eerste keer dat ik iets tegen haar zeg, dus het is niet zo vreemd dat we wat wiebelig zijn, maar het lukt me in elk geval om de vraag te herhalen.

'Roemenië,' antwoordt ze.

Ik heb nog nooit zoiets moois gehoord.

'Boekarest,' zeg ik snel en terwijl we naar buiten lopen schieten me nog meer pareltjes over Roemenië te binnen. 'Ligt dat niet achter het IJzeren Gordijn?'

'Het IJzeren Gordijn?' mompelt Tanja afwezig en fronst haar wenkbrauwen. En aangezien ik niet in staat ben de zaak verder toe te lichten blijf ik gewoon naast haar lopen, verlangend naar Roemenië.

'Kom je daarvandaan?'

'Nee, ik kom hiervandaan.'

'Wat deed je daar dan?'

'Familie,' zegt ze.

'Dus díé komen daarvandaan?'

'Mm.'

Ik overwoog even mezelf te overtreffen en te zeggen dat ik ook hiervandaan kwam, maar nu waren we op het schoolplein aangeland en ook al was het ondenkbaar om voor de ogen van iedereen verder te praten, het was ook niet zo simpel om het gesprek te beëindigen. Bijna als de ironie van het lot kwam Freddy 1 naar ons toe en vroeg bot waar we het over hadden, zodat Tanja haar ogen naar het asfalt kon neerslaan en zich voorzichtig kon terugtrekken naar het groepje meisjes waarvan ze waarschijnlijk droomde ooit een vanzelfspre-kend lid te zijn. Freddy had de afgelopen dagen aardig wat succes gehad met zowel de stalen knikkers als zijn blauwe ogen die inmiddels geel en alledaags waren, Freddy 1 die ook ooit in de hulpklas dreigde te belanden en die daarom misschien wel iets over de zaak te melden had, hij voelde in elk geval sterk de behoefte om te verklaren dat het allemaal niet eerlijk was.

'O?' zei ik terughoudend.

'Ja, want je begint niet in de hulpklas.'

'O nee?'

'Je komt namelijk eerst in een gewone klas. Dan ziet de meester dat je te dom bent. En dán pas moet je naar de hulpklas.'

Ik kon er dus niet omheen, om wat ik een poosje geleden van De Aal had gehoord, dat mijn moeder, het ijzer in het vuur, niet alleen had ingestemd met een harteloos besluit van de school, maar daar zelf om had gevraagd.

Op weg naar huis liep ik op met Linda en een nieuwe vriendin van haar, Jenny, een groot en stil meisje dat merkwaardig rechtop liep, die al haar knoopjes zorgvuldig had dichtgeknoopt en haar schooltas zo droeg dat het leek alsof ze in het leger zat.

'Waar is de tweeling?' fluisterde ik.

Linda deed alsof ze het niet hoorde en vroeg waarom ik achter haar aan liep. Maar ik wilde weten hoe de vork in de steel zat, deze nieuwe alliantie beviel me niet, ook al leek Jenny op een vrouwelijke versie van Freddy 1. Ik snapte ook niet waar ze het over hadden, want ze mompelden als ze al iets zeiden en glimlachten wat vaag, alsof ze lid waren van het verbond van geluidlozen. En toen we langs de blauwe klei kwamen die als een glanzende bloedblaar de verdoemde eigendommen van Geel, Rood en Blauw bedekte, verliet ik hen met het gevoel dat ik iets goeds had gedaan wat toch faliekant was misgelopen, zelfs rennen hielp niet, maar ik rende toch en dacht aan zowel Tanja, die plotseling veel te dichtbij was gekomen en aan een zusje dat nu misschien wel voor eens en altijd het stempel zou krijgen achterlijk te zijn.

19

Ik was nauwelijks binnen of ik werd al begroet door een extreme onweersbui. Mijn moeder was gebeld in de schoenenwinkel, wat al verboden was, en bovendien had ik Linda en haar klasgenootjes idioten genoemd. Dat was toch wel het toppunt, dat ík, nota bene, enzovoort …

Maar ik was voorbereid.

'Jíj hebt haar daarvoor opgegeven,' zei ik kil en ik keek haar aan met een emotie die ik nog nooit gevoeld had, maar die desalniettemin ook een deel van mij was. Maar in plaats van zich te verdedigen stortte ze meteen in, op een manier die steeds minder indruk op me zou maken.

'Maar, Finn, je zíét toch hoe ze is!'

Ik zag helemaal niet hoe Linda was en dat zei ik ook. 'Heb je dan geen ogen in je hoofd?' zeurde ze.

Ik zei nogmaals: 'Jíj hebt haar daarvoor opgegeven.'

'Maar, snap je dan niet dat anders … anders …'

'Anders wat?'

'Anders had ze naar een andere school gemoeten.'

Ik had een paar minuten nodig om dat tot me door te laten dringen.

'Naar Lippern?' fluisterde ik vol ongeloof, een speciale school aan de andere kant van het Torshovdal, voor ons kinderen een combinatie van stal, gevangenis en laboratorium, de meest stigmatiserende plek ter wereld.

Mijn moeder verborg haar gezicht weer in haar handen en was een wrak dat je het liefst uit haar lijden zou willen verlossen, ze was verdomme volwassen, en wat heeft het allemaal voor zin als je het niet kunt opbrengen om te vechten!

'Ik trek het niet meer,' jankte ze. 'Ik trek het niet meer.'

Ik ook niet. Ik liep weer naar buiten.

Die avond speelde de hoofdpersoon bij een van de kleine zusjes van Marlene, zodat moeder en zoon de arena voor zichzelf hadden, bijna; de televisie was stuk en een kennis van Kristian kwam langs in een witte overall en voorzien van een loodzware koffer met massa's buizen en zekeringen in kleine bakjes. Het had natuurlijk een leuke afleiding kunnen zijn om te kijken hoe hij de achterkant van de televisie losschroefde en het inwendige van de door silicose aangetaste borstkas onderzocht, met longen, een hart en aderen. Dat zei ik ook tegen hem, dat zijn zeker de darmen? Maar hij keek me alleen maar serieus aan.

'Nee, dit is een elektrisch apparaat. Daar zit geen leven in.'

'Maar d'r zit toch een schok in?'

'Wat bedoel je?'

'Je kunt een schok krijgen?'

'Als de stekker erin zit ja. Dat heet stroom.'

'O, ja ...'

'Weet je niet wat stroom is?'

'Eh, nee ...'

'Elektriciteit dan, daar heb je toch wel van gehoord?'

'Eh, nee ...'

'Finn!' hoorde ik mijn moeder vanuit de keuken roepen, op haar snerperigst, en ik riep terug, op mijn onuitstaanbaarst, twee rollen waar we niet zo goed meer uit kunnen komen als we er eenmaal ingekropen zijn. Maar het fijne met rollen is dat je je in ieder geval niet hoeft af te vragen wat je moet doen. Ik vroeg of de man misschien wilde dat ik de stekker in het stopcontact stak zodat hij een fikse optater kreeg en misschien dood neerviel, maar toen stond mijn moeder naast me, ze sleurde me naar de keuken en vroeg waar ik in godsnaam mee bezig was.

'Misschien moet ik ook maar naar de hulpklas,' zei ik. Ze keek alsof ze weer naar me wilde uithalen, maar ik ontweek haar en toen schoot me plotseling iets heel anders te binnen.

'Ik wil de foto's zien.'

'Welke foto's?'

'Van mijn vader.'

'Waar heb je het over?'

Ik liep terug naar de kamer en vroeg de man of ik een schroevendraaier mocht lenen.

'Alsjeblieft.'

'Heb je geen grotere?'

Ik kreeg een grote schroevendraaier en liep door mijn moeders mijnenveld naar de slaapkamer, wurmde de schroevendraaier in de spleet boven de afgesloten lade in de commode en ging op haar bed zitten – twee meter tussen mij en het ontzagwekkende breekijzer dat voorlopig nog geen schade had aangericht, maar wat wel dreigde te gebeuren en waar mijn moeder van schrok toen ze achter me aan gehold kwam.

'Jij zegt dat ze op hem lijkt,' zei ik.

'Wat?'

'Jij zegt dat Linda op haar vader … onze vader lijkt. Ik wil kijken of dat waar is.'

Ze leek op het punt te staan toe te geven, toen ik voelde hoe de volgende zin vorm kreeg. 'Ben jij haar moeder?'

'Wat zeg je nou?'

'Ben jíj haar moeder?'

'Finn!'

De tranen stroomden over mijn wangen, ik was zo goed als blind.

'Je zei niet alleen dat ze op hém lijkt,' zei ik, 'maar ook op jou.'

Ze bleef een poosje staan, ging toen zitten en begon mijn haren te strelen, onbeholpen en onhandig, maar voor deze ene keer had ik er niks op tegen, en zo bleven we zitten kijken naar de vreselijke schroevendraaier met vet en zwarte olie op het sleetse houten handvat, bang dat dit, wat een kans op een verzoening leek, voorbij was.

'Dit is moeilijk, Finn,' zei ze. 'Maar ik bedoel niet dat we op die manier op elkaar lijken, dat we familie zijn.

'Hoe dan?'

'Dat we misschien hetzelfde hebben meegemaakt, in onze jeugd …'

'Iets ergs?'

Ze dacht na en zei: 'Ja.'

Ik keek waarschijnlijk alsof ik wist waar ze het over had, ook al wilde ik er niets meer over horen. Ze veegde wat haren weg uit haar gezicht, boog zich voorover, tilde haar juwelenkistje uit de lade van haar nachtkastje, maakte het open en gaf me een vel papier dat een gestempeld document bleek te zijn dat bewees dat ik was wie ik was, Finn, geboren in het Aker-ziekenhuis om halfnegen 's ochtends op de juiste dag in het juiste jaar, de zoon van haar en de kraandrijver, ja, er stond zelfs al Finn op, want zo hadden ze al besloten me te noemen toen ik gepland werd, zo had mijn opa geheten – als ik een jongen zou zijn, uiteraard.

'Dit is mijn dierbaarste bezit,' zei ze langzaam.

'O,' zei ik en ik keek naar het papier, waar ook een handtekening op stond, van een dokter.

'Daarom ligt het in mijn juwelenkistje, snap je?'

Ik knikte. Ze hield de envelop omhoog en liet me zien dat die leeg was.

'En er zit geen andere geboorteakte in, zie je wel?'

Ik knikte weer, een paar kilo lichter bij elk voorgekauwd brok dat ze me voerde. 'Alleen deze ene,' hield ze vol.

'Ja, ja, ja,' zei ik, vooral tegen mezelf.

Ze stopte de akte weer in de envelop, pakte een sleuteltje, liep naar de commode en wrikte de schroevendraaier los.

'Je mag er eentje zien,' zei ze terwijl ze het sleuteltje in het slot stak. 'Onze trouwfoto.'

'Dat hoeft niet,' zei ik en ik stond op. Ik had ontdekt dat ook al was ze volkomen hopeloos als het op de kwestie hulpklas aankwam, ze hoe dan ook mijn moeder was en ook al was deze vertoning dáár niet om begonnen, daar was het gaandeweg wel op uitgedraaid en die belangrijkste van alle vragen was met een ja beantwoord. Bij gebrek aan iets beters pakte ik de schroevendraaier, bracht die terug en verontschuldigde me nogmaals.

'Dan niet,' zei ze achter me. 'Maar nu weet je in ieder geval waar de sleutel ligt.'

20

Een paar dagen later zat Kristian samen met ons aan de avond-boterham. Ik had de hele middag geprobeerd een brief aan Tanja te schrijven, een brief die naast namen als Roemenië, Moldavië, Albanië enzovoort ook de mateloze schoonheid van mijn hele leven moest bevatten, in combinatie met de even grote moeite die ik had om grip op dat leven te krijgen.

Maar ik vond voor deze ene keer geen woorden.

Tussen de boterhammen en melkglazen stonden een fles rode wijn en glazen op voetjes die mijn moeder in de kast in de kamer bewaarde en die anders alleen tevoorschijn kwamen als ze moesten worden afgestoft. Linda was in een vrolijke bui, ze maakte een lijstje van vier verschillende soorten beleg en hield een verkiezing terwijl Kristian vertelde over een aardbeving in Perzië die aan dui-zenden mensen het leven had gekost; hij legde uit wat de schaal van Richter was en benadrukte hoeveel geluk wij hadden dat wij in Noorwegen woonden dat zich niet op de scheiding van twee tektonische platen bevond. Mijn moeder dronk rode wijn, depte af en toe haar lippen droog met een servet en zat wat te glimlachen tot ze plotseling tegen mij zei: 'Dat je dat tegen de directeur hebt gezegd, stel je voor …'

'Ja, ik moet zeggen dat die jongen wel lef heeft,' greep Kristian zijn kans, met een lachje, maar hij werd onmiddellijk weer terecht-gewezen door mijn moeders blik, de blik die vertelt dat zij hier toch zeker niet hoeft te zitten luisteren naar iets uit de mond van een huurder wat naar kritiek riekt.

'Wat had ik anders moeten doen?' riep ze met blosjes op haar wangen.

'Met die kinderen, daar is niks mis mee,' mompelde Kristian, 'maar dat ze ze zo nodig in een …'

Mijn moeder moest hem helpen.

'Hokje willen stoppen?'

'Eh … ja.'

Hij perste er een glimlach uit, zocht naar een uitweg en liet zijn oog op Linda vallen. 'Hoe gaat het, Linda?' vroeg hij luid. 'Vind je het leuk op school?'

'Ja,' zei Linda en ze holde naar de slaapkamer om haar schrift en potlood te halen en begon iets te schrijven wat letters moesten voorstellen, zodat mijn moeder een hand voor haar ogen sloeg en zich moest inhouden.

'Waarom praat je altijd zo hard tegen haar?' vroeg ik Kristian.

'O, doe ik dat?'

'Ja.'

'Dat was me niet opgevallen.'

'Waar wil je naartoe, Finn?'

Mijn moeder haalde haar hand voor haar ogen weg en richtte haar blik op mij, waarschuwend. Ik legde mijn hoofd op het tafelblad en fluisterde onhoorbaar: 'Linda?'

'Ja,' zei Linda aan de overkant van de tafel tegen haar hanenpoten.

Mijn moeder keek alsof ze stof tot nadenken had gekregen terwijl Kristian weer keek alsof hij een kans had gemist. Toen ontstak hij plotseling in woede en sprong op. Maar op datzelfde moment legde mijn moeder haar hand op de zijne en opeens zag ik het – zag niet alleen wat Linda met ons deed, dat ze ons liet zien wie we waren, ons ontmaskerde, maar zag ook het domme gezicht van een man die zijn zelfbeheersing verloor en in een benevelde seconde overwoog ik of ik eindelijk zou vertellen hoe het zat met mijn ribben, dat de huurder me op die ijskoude winterdag een eeuwigheid geleden op zijn ski's had ingehaald en geprobeerd had er wat gezond verstand in te timmeren, zoals hij het noemde, zodat ik mijn moeder niet zou vertellen dat hij Linda achterlijk had genoemd; dat geheim dat ik al die maanden als het noodlot met me had meegedragen, zonder te weten waarom, het kwam er gewoon niet uit, en haar hand die sussend op de zijne lag, die intieme, sussende hand, die daar vaker had gelegen.

Ik stond op, liep naar de woonkamer, zette de televisie aan en keek naar De Kinderclub, maar kreeg de afmetingen van een vogelhuisje voor eksters niet mee, hoorde niet wat er gezegd werd over het jongensmuziekkorps op een school in Valdres terwijl diverse instrumenten over het scherm gleden, waldhoorn, klarinet, trompet. Toen brak er weer ruzie uit in de keuken; Kristian stond bruusk op en zette koers naar zijn kamer, om vervolgens weer door de lokroep van mijn moeder staande te worden gehouden.

'We zouden toch iets vieren vandaag.'

Ze zouden vieren dat mijn moeder promotie had gekregen en nu ook op de afdeling van de winkel ging werken waar ze kleding en hoeden verkochten, wat eigenlijk geen promotie was, maar blijkbaar wel meer loon betekende.

Ik had alleen mijn brief aan Tanja.

Ik had twee opstellen over de vakantie geschreven, een over mezelf en Linda op het eiland, en eentje voor Freddy 1 over zijn verblijf op datzelfde eiland. We waren samen op vakantie geweest, elk in een eigen tent. Die van Freddy 1 was groen, niet zo spectaculair en voor deze ene keer had hij zichzelf ook niet voor gek gezet; ik had hem gedwongen het verhaal zelf op te schrijven, tegen slechts de helft van de betaling die hij me aanbood. We hadden allebei goede zaken gedaan.

Dus waarom liet die brief van Tanja zich dan niet schrijven?

Verwachtte Tanja überhaupt een brief van mij? Moeilijk te zeggen, raadselachtig als ik ben. Ik had een kruin op mijn voorhoofd, ik was iets kleiner dan zij en had tot voort kort geen woord tegen haar gezegd. En brieven zijn natuurlijk heel bijzonder: elke keer dat er iets ernstigs gebeurt, hoort daar een brief bij; alleen datgene wat zo belangrijk is dat het niet hardop kan worden gezegd staat in een brief; brieven zijn om orde op zaken te stellen, ze moeten worden beschouwd als bewijs, als wettekst, brieven zijn voor de eeuwigheid – en eindelijk had ik het.

Ik zette de televisie uit, liep naar de slaapkamer en schreef een brief van vier kantjes aan Tanja, plengde er zelfs een traantje bij – het soort tranen dat mijn moeder fijn noemt – bij gebrek aan iets om blij om te zijn waarschijnlijk, en stopte hem in een envelop waar ik haar naam op schreef, Tanja, dat was bijna net zo overweldigend als Roemenië. Daarna vroeg ik me af of ik er een postzegel op moest tekenen, maar kwam tot de conclusie dat dat kinderachtig was en begon *De onbekende soldaat* te lezen. Ondertussen was er in de keuken nog een fles wijn op tafel gekomen.

Het kwam niet vaak voor dat ik eerder dan Linda naar bed ging, maar nu was dat in nog geen week al twee keer gebeurd. Ik las de eerste zeven bladzijden nog een keer. Net als Linda. Maar ik had een belangrijke brief geschreven en had gevoeld hoe de koortsachtige onrust via mijn vingers en de kroontjespen naar buiten gleed en zich als schoonschrift vasthechtte aan het papier, beelden uit mijn innerlijk die nu plotseling tastbaar op het papier lagen en die gelézen konden worden; en het geheim dat mijn moeder tot leven had gewekt door de hand van de huurder aan te raken, was weer vergeten. Maar waarom eigenlijk; Kristians vuile wasgoed was een geïntegreerd deel geworden van het onze, nethemden, sokken en enorme vakbondsbroeken hingen gebroederlijk naast mijn hemden en de maillots van Linda in de droogruimte in de kelder, de garderobe van een kerngezin van vier, dat had ik op straat ook naar mijn hoofd gekregen.

'Hoe zit dat eigenlijk met jouw moeder en die huurder?'

Hij zat bijna elke avond aan de keukentafel, hij stond in het portiek met Frank te praten alsof ze buren waren, hij had zelfs meegedaan aan de gemeenschappelijke klusdag toen de buurt een zandbak aanlegde aan het eind van de straat. En daar kwamen zijn steeds frequentere opmerkingen over Linda en mij bij, alsof hem dat iets aanging, opgediend met die wat overwerkte gelaatsuitdrukking die ook op de smoelen van de andere 'vaders' te zien was. Dus waarom vertelde ik mijn moeder niet over mijn ribben?

Omdat ik haar niet meer vertrouwde, ook al bewaarde ze in haar juwelenkistje honderd keer dat stuk papier dat bewees dat ik was wie ik was, dat bewees helemaal niks. Maar ik had Tanja ...

21

Ik heb haar die brief nooit overhandigd. Maar ik liep er wel een poosje mee rond in mijn schooltas. En alleen het besef dat hij in mijn tas zat – die ik elke ochtend op mijn rug slingerde en die ik bij het rijtje andere tassen voor de ingang van het schoolplein legde, tassen leggen, zoals dat heette, die tas waarmee ik vocht en die ik rondzwaaide boven mijn hoofd en die ik over het ijs keilde en waar ik mijn mooie etui en mijn boeken in had – dat besef gaf me het gevoel dat ik rondliep met een enorme potentie in mijn lichaam, een talent, een scherpe granaat. De gedachte dat ik op elk gewenst moment die brief zou kunnen opvissen, die me had weten te verzoenen met mijn innerlijke onrust, en hem op Tanja's lessenaar kon neergooien was zo overweldigend dat die alle nederlagen overschaduwde die ik voelde als de moed me op een mogelijk overhandigingsmoment in in de schoenen zonk, omdat ik plotseling iets aan haar ontdekte, aan Tanja, wat me het idee gaf dat ze misschien, net zo min als mijn moeder, toch niet zo'n geweldige brief verdiend had; het ging tenslotte om het soort brief dat je maar één keer in je leven schrijft, die ene keer dat je het echt meent; alle latere brieven vallen bij deze in het niet, worden gereduceerd tot kopieën en vervalsingen omdat ze geschreven worden tegen de achtergrond van die eerste brief, de eerste en enige. Je slijmt niet in de brief van je leven. Je spreekt de waarheid.

Eind september geschiedde eindelijk het wonder, ook ditmaal in briefvorm. Het gebeurde op een woensdag, die leek op een zomerdag die verdwaald was in de jaargetijden. Ik was extra snel naar huis gelopen met de bedoeling meteen weer naar buiten te gaan om op straat mee te doen aan een zeepkistenrace, toen mijn moeder plotseling voor me stond, twee uur voor haar normale tijd en in dezelfde overspannen toestand als toen ze een telefoontje van de directeur had gekregen. Met een brief in haar hand.
'Zit jij hier ook achter?' blafte ze.
De brief werd als de loop van een revolver in mijn gezicht geduwd

en ik kon niets anders uit de getypte regels opmaken dan dat Linda de volgende week zou worden overgeplaatst naar de gewone klas, waar ze oorspronkelijk ook was ingedeeld – op proef, stond er, evenals 'na rijp beraad' en 'in overleg met de hulponderwijzer en de schoolzuster …' groetjes, De Aal.

'Nee,' zei ik, naar waarheid.

Ik zag er waarschijnlijk uit alsof ik daarover moest nadenken, zoals altijd als mijn moeder me in het nauw drijft, er zijn zoveel dingen waar je rekening mee moet houden. Maar zij beschouwde dat als een bekentenis en stoof de deur uit om naar Eriksen in het portiek naast ons te gaan, die telefoon had, en de directeur te bellen, thuis, trillend van woede.

Toen ze terugkwam was ze eerder gedwee dan razend en begon ze onmiddellijk een kast op te ruimen, wat ze altijd doet als ze met rust gelaten wil worden of niet weet waar ze haar handen moet laten, orde scheppen in al die spullen die zich in de loop van een leven ophopen, die daar maar liggen en die geen enkele andere bestaansreden hebben dan dat het een veilig gevoel is te weten dat ze er zijn.

Wat mij echter verbaasde was niet dat ik zo op mijn donder had gekregen, maar dat het blijkbaar zo vreselijk was dat Linda eindelijk naar een gewone klas mocht. Dat zei ik haar ook. En meteen stond ze weer op de rand van de afgrond.

'Omdat ik niet nog meer teleurstellingen kan verdragen!' gilde ze die belachelijk kast in. 'Snap je dat dan niet!'

Teleurstellingen …?

Ik zou het wel niet goed verstaan hebben.

'Ja, stel je voor dat ze het niet redt! Dat kan ik niet aan!'

Als ik alerter was geweest of achttien jaar ouder had ik kunnen vragen of Linda in de hulpklas was geplaatst omdat zij, mijn moeder, niet het risico wilde lopen teleurgesteld te worden. In plaats daarvan beging ik de doodzonde te vragen of er dan zoveel teleurstellingen in haar leven waren geweest, ik liep ook niet de hele dag te denken aan mijn vader en de scheiding en het weduwepensioen en het erge dat zij in haar jeugd had meegemaakt. Ze ging voor me staan en vroeg op ijskoude toon of ik echt zo dom was.

Ik moest naar de slaapkamer lopen om mijn brief aan Tanja weer te lezen in de hoop dat die het gebruikelijke effect op me had. Maar na een paar minuten kwam ze al achter me aan, ging op Linda's bed zitten en zei: 'Sorry, het is natuurlijk niet jouw schuld dat ze haar overplaatsen ...'

'Nee,' zei ik.

'Als ze het maar redt.'

'Natuurlijk redt ze het.'

Maar haar ogen werden nog somberder, nu had ze ook Amalie ontdekt die onder Linda's dekbed lag te slapen, pakte haar op en bleef zitten met de pop op haar schoot, de lappenpop die al twee keer een ontwrichte jeugd had meegemaakt.

'Ze lijkt écht op me, Finn.'

'Ja, ja ...'

'We hebben van alles gemeen.'

'Jij hebt toch niet in een hulpklas gezeten?' probeerde ik.

'Nee. Dat is het niet ...'

'Maar wat is het dan wel!?' kefte ik, om eindelijk boven water te krijgen wat haar hersens pijnigde, en misschien ook wel de mijne en wat ons dwong andere mensen te zijn dan we waren, waarop ze zei dat Linda moeite had met concentratie en coördinatie en nog een heleboel vreemde woorden die me niet veel zeiden en die ze ook niet probeerde uit te leggen.

'Ooit zul je het wel begrijpen,' zei ze tot slot en toen viel haar oog op de brief die ik in een halfslachtige poging probeerde te verbergen. 'Heb je een brief gekregen?'

'Nee, ik heb er een geschreven.'

'Aan wie dan?'

'Aan Tanja.'

'Welke Tanja?'

'Eh ...' draaide ik eromheen tot ze zich een scène herinnerde die ik afgelopen lente had geschopt vanwege diezelfde Tanja, omdat ik vond dat zij bij ons moest wonen, we waren immers toch al met zoveel, zodat ze niet de lange reis hoefde te maken naar het land dat naar ik nu wist Roemenië heette.

'Dat meisje dat van jou hier moest komen wonen?' lachte ze en ze legde een hand op het dekbed om aan te geven dat ik moest gaan zitten. Toen zei ze dat ik niet mijn hele leven lang medelijden met alles en iedereen kon hebben, zei dat ik voortdurend kwam aanzetten met honden en katten die ik wilde adopteren – je maakt je leven kapot, Finn, als je denkt dat je hier bent om iemand anders te redden, zoals die Freddy, bijvoorbeeld …

Waar zou je je anders mee bezig moeten houden? bracht ik ertegenin terwijl ik weer voelde hoe ontzettend ik het had gemist dat zij en ik hier met elkaar konden praten zonder te schreeuwen, en haar te horen zeggen dat we ons nu op Linda moesten concentreren, zij en ik. En ik antwoordde, triomfantelijk bijna, dat we ons om Linda geen zorgen hoefden te maken, want die kon al lezen.

'Nee, dat kan ze niet, Finn.'

'Jawel en ze zit nog maar in de eerste, die andere kinderen kunnen dat niet.'

'Maar niemand heeft ook zoveel geoefend als wij, bijna elke dag, een heel jaar lang. We hebben …'

'Welles,' hield ik vol zonder mijn stem te verheffen. Mijn moeder keek even alsof ze weer zou gaan schreeuwen, maar leek er toen over na te denken, alsof ik plotseling iets zinnigs had gezegd en vroeg hoe het dan kon dat Linda nooit in staat was om ook maar de simpelste woorden te lezen als zij en mijn moeder in een boek lagen te kijken. Ik zei: 'Dan zal ze wel geen zin hebben.'

'Dat is onzin.'

'Nee,' zei ik. 'Ze kan echt lezen, ook woorden die ze nog nooit eerder heeft gezien.'

'Was dat maar waar,' zuchtte mijn moeder.

'Waar is ze?' vroeg ik.

'Bij de tweeling.'

Ik stond op, stak de overloop over, belde aan bij Syversen en bracht Linda naar de slaapkamer waar mijn moeder nog steeds zat met Amalie op haar schoot. Ze glimlachte mat, aaide Linda over haar bol en vroeg hoe het vandaag gegaan was en Linda antwoordde zoals altijd dat alles goed ging.

Ik zei dat ze naast mijn moeder moest gaan zitten, gaf haar mijn brief aan Tanja en vroeg haar die te lezen.

'Kan ik niet,' zei ze met dat plagerige glimlachje, met de bedoeling om mij te laten voorlezen. Maar dat kon niet, niet nu. Ze keek wat beteuterd naar mijn moeder. Maar daar was voor deze ene keer geen hulp te verwachten, mijn moeder maakte zich al op om haar ogen te verbergen achter een of twee trillende handen, want dit was opeens niet meer een gewoon eindexamen dat niemand in deze familie voorlopig ook maar in de verste verte had afgelegd, maar de verdediging van een proefschrift over fundamentele overlevingstactieken.

'Ik ben klein,' zei ze.

'Om de dooie donder niet,' zei ik.

'Móét het?'

'Ja,' zei ik en ik had er net zo goed aan kunnen toevoegen dat dit een kwestie van leven of dood was. Mijn moeder had een ijzeren wil nodig om niet te roepen: 'nee, nou moet je ophouden Finn, nou gaan we eten, laat haar met rust' et cetera.

Linda keek boos naar het vel papier, haalde diep adem en las: 'Aan de Tanja die elk jaar al haar spullen pakt en naar Roemenië en Sardinië vertrekt …' En toen ze zich ook nog min of meer door het onmogelijke Tsjecho-Slowakije heen wist te hakkelen, zette mijn moeder alle zeilen bij en gedroeg zich op een manier die ik liever niet beschrijf.

'Het is míjn schuld! Het is míjn schuld!'

Linda zette grote, dodelijk geschrokken ogen op en werd overvallen door een paar onbeholpen omhelzingen en iets wat waarschijnlijk op een vreugde-uitbarsting moest lijken, maar meer weg had van doodsstuipen. Mijn moeder stond op en hield haar hand tegen haar voorhoofd alsof ze zich niet meer kon herinneren hoe ze heette of waar ze woonde. Linda raakte nog meer in de war. Ik wist de brief uit haar handen te grissen voordat de serieuzere alinea's kwamen, stopte hem weer in mijn schooltas en nam Linda mee naar de keuken om eten te maken, om hamburgers te bakken.

'Met ui,' zei Linda.

'Met ui,' zei ik en ik haalde het ovale blik uit de koelkast, gaf haar een enorm mes en liet haar zien hoe ze uien moest pellen, zo doe je dat en ik ging zelf aan de slag met de hamburgers die al voorgebakken waren en die ik alleen nog maar met een klont margarine in de pan hoefde te doen terwijl ik aan één stuk door praatte, want ik had het gevoel dat ik tijd moest rekken – hoe meer tijd er verstrijkt, des te gekalmeerder mijn moeder uiteindelijk uit de slaapkamer komt en het overneemt zodat we écht eten krijgen, dat soort dingen weet een zoon, waar hij het ook vandaan moge hebben, hij weet dat zijn moeder vroeg of laat weer bij zinnen komt en het overneemt en alleen maar lacht om de rotzooi.

Dat doet ze nu ook, mijn moeder stelt niet teleur als het er echt op aankomt. Daar komt ze, met droge ogen, uitgerust en kalm en ze zegt, o, wat zijn jullie flink, waarna ze zich over het mes ontfermt en het – zoals gezegd – overneemt. Mijn moeder bestiert haar huishouden terwijl Linda en ik elk aan een kant van de tafel zitten en met ons mes en vork op het formica trommelen en 'teer en beton, teer en beton …' roepen, steeds harder, tot Linda barst van het lachen.

Dat is de toverformule van Freddy 1 die hij voortdurend loopt te mompelen; ik heb het vermoeden dat de enige reden is dat hij het mooie woorden vindt, of omdat hij een halvezool is en hij die woorden niet uit zijn hoofd krijgt – hij zit vol rare woorden, rode woorden en groene woorden en woorden die zo goed als onzichtbaar zijn en toch klinken ze allemaal alleen maar als een schreeuw om hulp.

22

Linda's verjaardag kwam eraan. En ook op dat gebied was ze een onbeschreven blad, pasgeboren en onbedorven, dus die dag moest zoveel grootser worden dan de jaarlijkse routines waar wij anderen genoegen mee namen. En bovendien was het de viering van een weergaloze leesprestatie. Alles wat er in de straat aan kleine meisjes op te trommelen viel werd uitgenodigd, mijn moeder zou bakken, Marlene zou zingen en Kristian zou goochelen …

En wat zou ik?

Niks, voelde ik, ik begon namelijk andere dingen belangrijker te vinden, ik bleef steeds vaker buiten, tot 's avonds laat; ik zat in een boom op Hagan of in de schuilkelder of ik fantaseerde dat ik een kamer inrichtte op de zolderberging, een tussenstation zonder Kristian, en toen mijn moeder me op een dag vroeg of we ook niet een paar van mijn vrienden zouden uitnodigen, had ik er opeens genoeg van.

'Op Línda's verjaardag?'

'Ja, is dat zo raar?'

'Eh … ja, eigenlijk wel.'

'Essi bijvoorbeeld?'

'Ik speel niet meer zo vaak met Essi.'

Ze zei een poosje niets meer, waarschijnlijk bang dat ze Freddy 1 zou moeten opperen, maar even later deed ze dat toch.

'En die Freddy dan, kan die niet komen?'

Dat deed de deur dicht. Dus toen de bewuste avond aanbrak zorgde ik ervoor dat ik mijn jas en schoenen in het fietsenhok in de kelder had verstopt; zodra de eerste gasten arriveerden, de tweeling, met veel bombarie, wist ik ongezien naar buiten te glippen en liep de trap af, waar ik nog een gast tegen het lijf liep, letterlijk, Freddy 1 die iets achter zijn rug probeerde te verbergen.

'Waar ga jij naartoe?' vroeg ik.

'Nou … eh, weet ik niet,' zei hij, slecht op zijn gemak.

We bleven elkaar aan staan kijken, een ontmoeting waar we geen van beiden op zaten te wachten, voelde ik. Maar toen kwam de volgende gast eraan, Jenny, met een nog rechtere rug dan anders en kon ik naar het fietsenhok sluipen en me aankleden.

Ik liep naar buiten, over het grasveld, de Eikelundvei in, door de Liavei en rechtsaf de heuvel op, naar relatief onbekend terrein. Ik was hier wel eens met vriendjes op de fiets geweest, maar op de fiets is één ding, te voet is iets heel anders, dan ben je én kleiner én minder mobiel, zowel wat tijd als ruimte betreft, meer aanwezig, bij wijze van spreken, in de vreemde omgeving. Om me heen lagen tuinen en eengezinswoningen in keurige onwrikbare rijtjes, stampvol verborgen levens en indolentie in warme viltpantoffels. Het begon te regenen, het werd slecht weer, natte sneeuw, en toen ik verder liep stond ik plotseling op de heuvel boven het ketelhuis van mijn eigen buurtje, weer vervuld van dat merkwaardige gevoel dat je hebt als je thuiskomt zonder dat er ook maar een spat is veranderd.

Ik was halverwege de helling toen ik een stuk of twaalf, vijftien bonte wagens zag die langs het hek van Gamlehagan stonden opgesteld, omringd door schorre luidsprekers en een exotisch geschetter dat alleen maar kermismuziek kon zijn. Het schoot me te binnen dat ik er iets over had gehoord, dat er een kermis zou komen op het Tonsen-veldje, met een Rad van Fortuin en piramides van conservenblikken die je omver moest gooien met zakjes vol erwten, en een schiettent.

Vooral die laatste had mijn belangstelling – ik had namelijk al eens met een luchtbuks geschoten, op de schietbaan van Østreheim en dat was me goed afgegaan. Oom Tor had me een natuurtalent genoemd. Het regende nu ook niet meer, het was tenslotte pas oktober, ergens tussen zeven en acht uur en een laatste straaltje zon scheen plotseling schuin op me neer; en als klap op de vuurpijl had ik zeventig øre op zak.

Maar er stond een rij, die zowel werd bevolkt als bestierd door Raymond Wackarnagel en zijn manschappen. Vooraan bij de balie ontspon zich een felle woordenwisseling tussen de potige eigenaar van de tent, een breedgeschouderde beer die een soort Zweeds sprak dat de hele rij erg vermakelijk vond en de eerdergenoemde Wackarnagel die ergens woedend over was – ik hoorde woorden als zwendel en taters en tuig.

Voordat ik me verder in de zaak had kunnen verdiepen, viel mijn oog op Tanja, nota bene, mijn Tanja, net zo onzichtbaar als anders, op een klapstoeltje bij de ingang van het spookhuis alsof ze dat bewaakte. Het deed me plezier te zien dat zij mij het eerst had ontdekt en nu zat te wachten tot ik haar in de smiezen zou krijgen en tegen haar zou glimlachen, wat ik waarschijnlijk ook deed, want ze sloeg haar ogen neer, koket en blij, daar kon geen twijfel over bestaan.

Dat gaf mij de mogelijkheid naar haar te blijven kijken, voor deze ene keer nu eens van voren. En het was me nogal een aanblik; ze hield haar knieën stijf tegen elkaar gedrukt onder haar roodgebloemde jurk – als mijn moeder in de schoenenwinkelstand – ze waren een beetje spits. Té spits? Ik heb altijd een zwak gehad voor ronde knieën, in ieder geval knieën zonder al te hoekige knieschijven. Bovendien had ze erg dunne kuiten, vanaf de knie naar beneden ging het maar één kant op, naar beneden tot haar ragdunne enkels verdwenen in harmonicasokken en grote oudedamesschoenen van het type dat mijn oma in haar schommelstoel droeg. En niet te vergeten haar haren, die wonderbaarlijke rivier van glanzende inkt die nu in tweeën was gedeeld en aan weerszijden van haar magische Modigliani-gezicht naar beneden stroomde, het gezicht dat ze dus halfslachtig probeerde te verbergen: het kwam geen moment bij me op dat haar haar daar niet vanwege mij hing, het zou altijd naar mij toegewend zijn, of ik haar nu van achteren of van voren bekeek, het was míjn haar, voor mij gemaakt en gewassen en gekamd. Toen voelde ik opeens een vochtige adem tot diep in mijn gehoorgang: 'Jouw beurt, Finn, maar eigenlijk denk ik dat je het niet moet doen, een beetje louche bedoening hier.'

Wackarnagel is een man naar wiens raad je zou moeten luisteren, maar ik was nu ergens aan begonnen en dat moest afgemaakt worden, dus legde ik vijftig øre op de toonbank, waarna de grote beer een zinken schaal met vijf gevederde pijltjes in verschillende kleuren naar me toe schoof en een aftands geweer dat ik in mijn handen woog en bestudeerde: de krassen op de kolf, de ouderdom, de slijtage. Ik klapte het open om het te laden, maar op het moment dat ik het eerste pijltje in de loop wilde steken, begon ik opeens te trillen; het pijltje viel uit mijn handen en toen ik me bukte om het op te rapen – tot algemeen vermaak – rook ik weer die onmiskenbare lucht van bloemen en benzine.

'De loop is krom, naar rechts richten.'

Ik rechtte mijn rug, drukte het pijltje in de loop zonder om me heen te kijken en legde aan.

'Niet steunen bij het aanleggen,' zei de Zweed.

Ik keek hem vragend aan. 'Niet steunen!' herhaalde hij nog beslister.

'Hij komt nog niet eens boven de balie uit,' zei Wackarnagel.

De grote man keek me vol afkeer aan.

'Goed dan.'

Ik had geen idee waar ze het over hadden.

'Steun met je elleboog op de toonbank,' beval Wackarnagel.

Ik deed wat hij zei, en wat ik dus al gedaan had, ik legde aan, kneep mijn oog halfdicht, richtte een klein tikkeltje naar rechts en raakte de negen, een beetje links van het midden. Bij het volgende schot richtte ik nog iets meer naar rechts en kwam toen nog dichter bij het midden uit. Het derde schot was in de roos, als dat al zo heet en ook de laatste twee schoten troffen doel, onder toenemend gejuich.

Ze waren niet allemaal in de roos, werd me verteld, maar vijfenveertig punten was genoeg voor een prijs, een Tarzan-zwembroek of een zak Twist-toffees.

'Neem de Twist,' zei Wackarnagel.

Maar er zaten tijgerstrepen op de zwembroek, dus koos ik die en op datzelfde moment ontmoette ik de blik van Tanja, die weer op haar stoel zat met haar spitse, onweerstaanbare knieën.

'Ga je niet nog een keer schieten?' vroeg Wackarnagel.

'Geen geld meer.'

'Hier! Maar dit keer kies je de Twist!'

Er landde een vijftigøremunt op de balie en de beer schoof weer een schaal pijltjes naar me toe, met een vermoeide zucht.

'Niet steunen bij het aanleggen!' zei hij weer. En deze keer meende hij het.

'Doe niet zo belachelijk!'

'Maakt niet uit,' zei ik.

Wackarnagel gaf zich gewonnen en de menigte zweeg. Ik laadde en nam de juiste houding aan, plantte mijn elleboog op mijn heup en schoot weer 45 punten, onder nieuw gejuich. En nu koos ik de zak Twist, die Wackarnagel meteen confisqueerde en uitdeelde onder degenen die dat verdienden, en dat waren er vandaag verrassend veel, zo'n stemming hing er blijkbaar.

'Sodeju, jongens, Finn heeft ze flink te grazen genomen. Hier.'

Er knalde weer vijftig øre op de toonbank, een muntstuk dat zó glom dat het op het hoogtepunt van zijn carrière als munt moest zijn, een ondubbelzinnig teken, gezien door de microscoop van de roes, elk haartje van de hond, een Noorse buhund, was zichtbaar, hij blafte. En toen werd het me echt allemaal te veel, de warme blik tussen de rivierlopen van Tanja daarginds bij het spookhuis, mijn belachelijke poging om weg te lopen, deze herfst die toch niet beter werd dan de lente, wellicht vanwege Kristian, en niet in de laatste plaats het verjaardagspartijtje van de eeuw dat op dit moment in onze flat werd gehouden, zónder mij.

Toch kon ik mijn ogen niet afhouden van de bovenste plank van de schiettent, waar maar liefst zes reusachtige teddyberen – vier roze, een lichtblauwe en een gele – op een rij de belangrijkste reden vormden om te schieten, boven het bordje met het onbereikbare opschrift '48-50 punten', wat betekende dat als ik erin slaagde drie tienen en twee negens te schieten, ik de lichtblauwe teddybeer mee kon nemen en die aan Linda kon geven om zo al mijn problemen op te lossen, al betekende dat het negeren van Wackarnagels bevelen.

Ik was bereid die prijs te betalen.

Bovendien – Tanja maakte me rustig, net als de brief, als die werkte. En toen de eerste tien van de derde serie een feit was, voelde ik me nog zelfverzekerder. De volgende twee waren ook in de roos. Maar opeens veranderden mijn voeten in natte klei en konden ze me niet meer dragen; ik moest mijn armen en het geweer op de balie leggen en snakte naar adem, ik stikte bijna. Wackarnagel keek me verbaasd aan.

'Wat ben je aan het doen, Finn?'

'Weet ik niet,' mompelde ik.

'Koppen dicht!' brulde hij naar de menigte. 'Finn concentreert zich!'

Zo kon je het natuurlijk ook zien. Feit was dat ik me op mijn knieën moest laten zakken met mijn handen plat op de klei. Maar toen ik in die ineengedoken, onmogelijke houding zat keerden mijn krachten terug, ik kwam weer overeind en laadde – langzaam, in trance en in een plechtige stilte – ik tilde het geweer op en schoot snel nog een tien, nu niet begeleid door gejubel en gejuich, maar door een diepe collectieve zucht.

Waar moest ik de kracht voor het laatste schot vandaan halen? Bij Tanja, opnieuw, en toen ik de trekker overhaalde wist ik al dat het goed zou komen. Dat besefte de Zweed ook, die nog voordat het pijltje de schijf trof een luid en duidelijk 'verdomme' liet horen.

'Vijf zakjes!' jubelde Wackarnagel en de onfortuinlijke eigenaar van de schiettent was al bezig de Twist uit te tellen toen ik Tanja's signaal opving.

'Nee,' zei ik vastberaden. 'Ik wil de teddybeer. De blauwe.'

Het werd stil.

'Hè?' zei Wackarnagel.

'Ja,' zei ik nog even vastberaden. 'De blauwe.'

Wackarnagel keek om zich heen. Maar ik voelde dat ik ermee weg zou komen en Wackarnagel, als het sociale dier dat hij was, perste zijn vleesetende glimlach tevoorschijn en mepte me op mijn schouder.

'Tuurlijk krijg jij een knuffelbeer, Finn. Kleine rot-Finn,' fluisterde hij daarna iets zachter in mijn oor en hij hield mijn rechterarm omhoog, als de scheidsrechter in een boksring.

Ik pakte de beer aan, die net zo groot was als ikzelf, wisselde een laatste blik met Tanja, om haar goedkeurende knikje in ontvangst te nemen, maar zag tot mijn schrik dat ze in plaats daarvan haar ogen ten hemel sloeg en een andere kant op keek.

Wat?

Ik elleboogde me door de lachende menigte heen en holde de helling af met het plotselinge gevoel me volkomen belachelijk te hebben gemaakt. Toen ik langs Blok 7 liep werd ik ook gezien door een groepje meisjes dat aan het elastieken was en ze riepen me na, met naam en toenaam, ik was nu te oud, zo werd me maar al te pijnlijk duidelijk, om ongestraft te kunnen rondzeulen met een kolossale teddybeer op mijn rug, een synthetisch monster dat toen ik heuvel af liep bovendien statisch was geworden waardoor mijn haar nog rechter overeind stond dan normaal. Volkomen uitgeput sleepte ik me de trappen op, smeet het monster en de Tarzan-zwembroek in de hal op de grond en stormde de slaapkamer in om me achter slot en grendel te verschansen.

'Ben jij dat, Finn?' riep Linda terwijl ze aan de deurklink morrelde. 'Doe 's open!'

Dat was gemakkelijker gezegd dan gedaan. Want wat had Tanja in godsnaam bedoeld met die hemelende blik?

Ik wist maar al te goed wat ze bedoelde. Dat was nou net het probleem. Ik had een verkeerde keuze gemaakt, ik had Linda boven haar verkozen, dat was onvergeeflijk, kinderachtig, bespottelijk – zou iemand die meer ervaring had met broertjes of zusjes dezelfde stommiteit hebben begaan? Natuurlijk niet. Broers en zussen haat je, die overlaad je niet met monsterlijke teddyberen; ze pikken je je plaats en je eten af, ze lopen in de weg en zijn te oud of te jong, te slim of te dom; ik had gekozen voor het sentimentele in plaats van het grootse gebaar – Tanja was immers als was in mijn handen geweest – en ik had bovendien niemand minder dan Wackarnagel getrotseerd, had zíjn vijftig øre ingewisseld voor de stomste beer ter wereld.

'Doe nou open, Finn!'

'Nee,' zei ik, niet al te hard, maar het was in ieder geval een poging. En waar was mijn moeder?

'Doe open,' bleef Linda maar zeuren. 'Doe je iets stiekems?'

Ze klonk zelfs nieuwsgierig. 'De beer is super.'

'Het is een rotbeer!'

'Hè?'

'Het is een rotbeer. Ik heb 'm gejat!'

Eindelijk dook de stem van mijn moeder op, vreemd en zorgeloos: 'Geen geintjes nou, Finn, anders moet Kristian de deur openbreken.'

'Wat heb je van Freddy 1 gekregen?' dwong ik mezelf te vragen. En hoorde nog meer gelach aan de andere kant van de deur, daarna wat gerommel, een stoel, de knop van het fornuis, de plaat linksachter, geen vergissing mogelijk, de koffieketelplaat, geklets over koetjes en kalfjes, een suikerpot en theelepeltjes – ik werd domweg overstemd door het dagelijkse leven en kon niks anders doen dan de sleutel in het slot omdraaien. Linda deed de deur open, kwam binnen en bedankte me voor de beer.

'Hartstikke bedankt.'

Het was me het feestje wel geweest. Freddy 1 had zichzelf voor deze ene keer niet voor gek gezet met al die kleine meisjes, maar hij had wel stevig toegetast wat het eten betreft, Kristians goochelnummer was een succes geweest, net als de liedjes en de spelletjes van Marlene. Kristian, de tevreden post festum pater familias met opgerolde hemdsmouwen alsof hij zich helemaal thuis voelde, was net zo belachelijk als de blauwe beer, was net zo sneu als het feit dat er nog steeds met geen woord over mijn wegloopactie was gerept. Linda had pas ontdekt dat ik weg was toen ik weer thuiskwam en mijn moeder was van plan het te negeren, begreep ik toen we 's avonds aan tafel zaten en de restjes opaten, taart en snoep. Er werd goedmoedig commentaar geleverd op de gasten, een sport waaraan ik kon deelnemen alsof ik 'm helemaal niet gesmeerd was, maar mijn plicht had gedaan als grote broer.

'Ja, nu zullen jullie wel lekker kunnen slapen,' zei mijn moeder toen we eindelijk in bed lagen en ze ons over de wang aaide, eerst Linda, toen mij, toen Linda, toen mij … want na zo'n geslaagde dag kon ze niet besluiten met wie ze zou eindigen, zoals dat hoort in een kerngezin waarin de symmetrie hoogtij viert; ik dacht dat ik groot was geworden, maar ik was dus nog steeds het kind dat ik altijd was geweest, met als enig verschil dat alles nu op een nachtmerrie leek.

23

Het ging niet zo goed met Linda in haar nieuwe klas, waarschijnlijk omdat ze nu niet meer gewoon haar hand op kon steken en de eerste de beste inval kon spuien om een compliment en een aai over haar bol te krijgen. Ik had het vage vermoeden dat er een pedagogische strategie achter zat: Linda niet meer in de watten leggen, Linda was al genoeg in de watten gelegd.

Maar ze was ook niet meer zo hulpeloos en halverwege een godsdienstles ergens eind oktober stond opeens De Aal naast juf Henriksen in onze klas en wees naar mij met een lange, gele vinger, kromde die één keer om aan te geven dat ik mee moest komen naar de gang en liep weer naar buiten.

Buiten in de gang zei hij geen woord, maar beende zo hard weg dat ik moest hollen om hem bij te houden, langs alle deuren en jassen en een trap af tot we voor de eetzaal stonden waar Linda en haar vroegere meester, de zalvende Samuelsen, verwikkeld waren in iets wat op een bittere familieruzie leek.

'Ik wil naar mamma!' gilde ze en ze wierp zich om mijn nek.

Het was de eerste keer dat ik haar dat woord hoorde gebruiken. En er bestond geen enkele twijfel over wie ze bedoelde.

'Dit gaat nu al bijna een uur zo,' zei De Aal verwijtend tegen me, alsof hij wilde aangeven dat ik nu het resultaat kon zien van mijn idiote reddingspoging. Maar omdat ik niet begreep waar hij naartoe wilde, zei hij nijdig: 'Dus ik vind dat jij haar maar naar je moeder moet brengen.'

'Hè?'

'Je hebt me wel gehoord.'

Jazeker, maar er waren zo vaak leerlingen die totaal overstuur raakten en naar hun moeder wilden, die werden dan botweg en zonder pardon de mond gesnoerd, dus waarom dan toegeven bij Linda?

De Aal draaide cirkeltjes met zijn gele vinger om ons eruit te bonjouren. We liepen de poort door en de Lørenvei af, allebei zonder schooltas, Linda die zich zó stijf aan mijn arm vastklampte dat het op mijn zenuwen begon te werken, vooral omdat ze niet wilde vertellen wat haar dwarszat en vanwege haar volkomen ontredderde gezicht.

'Zeg dan wat er is!' riep ik.

We kwamen bij het eindpunt van de tramlijn, naast de graansilo waar de tram al klaarstond voor de volgende rit door de stad en we stapten in op het balkon van de achterste wagon, zodat we buiten konden staan. Terwijl we door de Trondhjemsvei rammelden, hadden we in elk geval iets anders om aan te denken, het verkeer en het lawaai, het Torshovdal en de Sinsen-bioscoop waar ik ooit een film had gezien, in kleur, wat me inspireerde tot een verhaal over een kermis met Afrikaanse medicijnmannen en geweren en teddyberen ter grootte van boomkruinen, het soort verhaal dat Linda meestal aan het lachen maakte, maar toen werden we plotseling onderbroken door de conducteur die met zijn tang tegen het koperen luikje in de deur tikte.

Ik wilde net zestig øre in de schaal leggen, maar toen bleek plotseling dat Kristian op het luikje had getikt, net zo verrast als ik, zo te zien, en opgelaten? Hij riep ook iets door het glas heen, herhaalde dat toen hij zag dat ik het niet hoorde, gaf het op en kwam naar buiten, deed de deur achter zich dicht en vroeg tamelijk streng wat we hier deden.

'We gaan naar mijn moeder.'

'Midden onder schooltijd?'

Ja, het was nou eenmaal niet anders. Maar wat ging hem dat aan?

Linda had zich achter mij verstopt en loerde met een voorzichtig glimlachje achter mijn rug vandaan, want dit was echt onze huurder, niet alleen in een geheel andere setting, maar ook in een uniform dat hem op koning Haakon de zevende deed lijken, zoals we hem kenden van de herdenkingsborden van mevrouw Syversen.

'Hoef je geen geld?' vroeg ik.

Kristian legde zijn hoofd in zijn nek zodat zijn pet naar achteren gleed en staarde naar de lucht.

'Ik denk na,' zei hij cryptisch.

'Hè?'

172

'Ik denk na wat ik moet doen, Finn! Snap je dat? Met jou en die stomme zus van je.'

'Hier heb je het geld in elk geval,' zei ik en ik gaf hem de zestig øre. 'Twee kinderkaartjes.'

'Doe niet zo dom,' zei hij chagrijnig, hij rukte de deur open en verdween naar binnen, naar de andere passagiers.

In de schoenenwinkel ging het al niet veel beter. We mochten daar niet komen, dus de weinige keren dat we opdoken, verstopte mijn moeder ons altijd in het achterste pashokje, waar we muisstil moesten zitten lezen. Maar nu hadden we zelfs onze schooltassen niet bij ons. En dat we arriveerden zonder enige verklaring maakte de zaak er ook niet beter op, want Linda wilde nog steeds niet zeggen wat er aan de hand was. Maar ze was in elk geval weer rustig en mijn moeder bracht af en toe schoenen naar het hokje die Linda dan paste terwijl ik op een voetenbankje zat te genieten van de schoenenwinkelgeur, die sinds het begin der tijden een onvervreemdbaar deel van ons gezin was geweest en ik me afvroeg waarom De Aal ons hiernaartoe had gestuurd, wat daar de bedoeling van was.

Het was ook vreemd dat mijn moeder Linda niet de duimschroeven aandraaide, al vroeg ze elke keer als ze even binnenwipte wat er gebeurd was, zonder antwoord te krijgen.

Op weg naar huis was het hetzelfde hopeloze liedje. Ik begon het nu te herkennen, mijn moeder die het niet meer aankon, mijn moeder die zich terugtrok en niet wilde zien of horen, en nadat we gegeten hadden en Linda in de slaapkamer was neergepoot om huiswerk te maken op een vel tekenpapier, zei ze met tranen in haar stem dat we er nu niet nóg een crisis bij konden hebben, onder geen beding.

'Dan niet,' zei ik alleen maar.

Ze keek me verbijsterd aan.

'Hoe bedoel je … dan niet?'

'Weet ik niet.'

Ze keek weer alsof ze zou gaan slaan, maar ik was niet eens bang, alleen maar gevoelloos, waarop zij er uitflapte dat het ook maar niet wilde lukken met die ellendige adoptiepapieren, we werden van top tot teen onder de loep genomen; de school en de dokters en alle mogelijke instanties moesten allemaal hun licht laten schijnen op de vraag in hoeverre wij in staat waren voor Linda te zorgen.

'Gaan we haar adopteren?'

'Ja, wil je dat niet?'

Natuurlijk wel, ik had haar de dag dat ze kwam al geadopteerd, maar hoe zat dat met mijn moeder, die zag er namelijk uit alsof ze helemaal niks wilde adopteren en in een rommelige poging om meer helderheid in de zaak te krijgen, vertelde ik dat ik Kristian vandaag in de tram had gezien.

'In de tram?'

'Ja, in uniform, we wilden een kaartje kopen en daar stond hij.'

'In de trám!?'

Het was domweg onbegrijpelijk en ook in mijn ogen had hij merkwaardig misplaatst geleken, maar ik had hem echt gezien en wist dat het niet om een luchtspiegeling ging, dat herhaalde ik voor de derde keer. Waarna zij hoofdschuddend bleef zitten en keek alsof ze niet wist of ze moest lachen of huilen. Maar toen veerde ze weer op.

'Zorg er de volgende keer voor dat jullie je schooltassen meenemen,' zei ze.

'Hoe bedoel je – de volgende keer?'

'De volgende keer, ja. Want dit gaat namelijk weer gebeuren.'

Ik snapte het niet. 'Kijk me aan, Finn,' zei ze, ze greep me bij mijn schouders en staarde tot in het diepst van mijn ziel. 'Mocht er iets gebeuren, dan moeten jullie de beste van de klas zijn, hoe dan ook, allebei, snap je dat! Ga naar haar toe en leer haar rekenen.'

'Ze krijgt nog niet echt sommen …'

'Ga naar haar toe en leer haar rekenen, zei ik!'

Mijn moeder kreeg helaas gelijk. De volgende dag stond De Aal er alweer met zijn gele vinger en pikte mij uit de klas, nam me mee door de gang en de trappen af, waar Linda om haar mamma stond te brullen. Maar deze keer namen we niet de tram, we liepen naar huis met onze schooltassen en maakten huiswerk alsof we daaraan verslaafd waren geraakt.

De dag erop gebeurde het voor de derde keer. En nu wist de hele school wat er aan de hand was, ook Tanja, die in de pauze naar me toe kwam en zei dat ze dacht dat Linda gepest werd.

'Hoe weet je dat?'

Ze haalde haar schouders op en probeerde verder gevraag te voorkomen. Maar voor deze ene keer hielp haar verpletterende schoonheid haar niet, bovendien lag de pijnlijke beer nog vers in mijn geheugen. 'Hoe weet je dat?' vroeg ik weer, ronduit pissig, maar ze wierp me alleen maar een van haar vele vage glimlachjes toe en ik zag haar teruglopen naar het groepje meisjes dat haar nooit echt zou accepteren, op een manier die vertelde dat ze wist dat ze nooit ook maar ergens echt geaccepteerd zou worden en dat ze zich in Linda had herkend.

Ook vandaag wilde ze niks zeggen. We liepen weer naar huis en maakten huiswerk. Ik dreigde en slijmde en schold haar uit, zei zelfs dat als ze niet vertelde wat er aan de hand was moeder het bijltje erbij neer zou gooien en ons zou verlaten, voorgoed!

Niks hielp. Linda wilde alleen maar een potlood vasthouden en letters schrijven en tekenen, met het puntje van haar tong uit haar linkermondhoek en haar wang bijna plat op het papier, zo geconcentreerd dat er geen twijfel over kon bestaan dat ze op reis was naar een wereld waar noch de Noorse lagere school noch verwarde halfbroers en stiefmoeders haar konden achtervolgen. Linda was niet van deze wereld, ooit zou ook ik dat begrijpen – ze was een marsmannetje dat op aarde was gekomen om in tongen tegen de heidenen te spreken, om Frans tegen Noren te praten en Russisch tegen Amerikanen. Ze was noodlot, schoonheid en catastrofe. Van alles wat. Mijn moeders spiegel en mijn moeders jeugd. In de herhaling. Het laatste restje van datgene wat nooit verdwijnt. Waarschijnlijk heeft God een bedoeling met haar gehad, een geheim plan – maar welk?

'Wat is dat?' vraag ik.

'Een giraffe,' zegt Linda en ze werpt me dat glimlachje toe dat betekent dat zij verdorie ook wel weet dat het geen giraffe is en ook geen mestkever, maar wat geeft het, wat moeten we verdorie met giraffes die op giraffes lijken? Ze in ons spaarvarken stoppen?

Eindelijk is de tijd gekomen.

Ik pak de sleutel uit het juwelenkistje en maak de lade open die tweehonderd jaar op slot is geweest en vind een stapel beduimelde, zandgele enveloppen en een oud fotoalbum met foto's die ik over de keukentafel uitspreid.

'Linda,' zegt Linda terwijl ze haar wijsvinger op een babyfoto van mij zet.

'Nee,' zeg ik. 'Dat ben ik.'

Dat wil er bij haar niet in en we kibbelen tot ik me gewonnen geef. Ik zie mijn moeder en de man die waarschijnlijk onze vader is, samen met oom Oskar en oma en Tor en de rest van de familie. Ze zien er normaal uit. Ze zijn op het strand, in het bos, ze zitten voor een witte kruiptent met elk een koffiemok in hun hand, zonder oor. Op één foto staan mijn moeder en de vreemdeling naast een beeld in het Vigeland-park dat het Levenswiel heet, dat weet ik. Op een andere staat diezelfde man op een pasgemaaid weiland naast een jonge oom Bjarne, ze hebben allebei een hooivork in hun hand en hebben een arm om elkaars schouder geslagen, als broers. Het is allemaal volkomen normaal.

Ik zie met andere woorden helemaal niks. Ik zie dat mijn moeder over het algemeen net zo mooi is als Marlene, mooier zelfs, en dat die clown van een vader niet zo héél erg op ons lijkt, niet op mij en niet op Linda, ik kan kortom niks bijzonders ontdekken.

Als ik al gedacht had dat wij getroffen waren door een ziekte, en dat heb ik wel eens, waar deze foto's de oorzaak van zouden kunnen verraden, als röntgenfoto's, dan heb ik me grondig vergist. Maar betekent dat dat we nu gezond zijn verklaard?

Ik zit met een foto in mijn hand die ik de rest van mijn leven bij me zal dragen en die in elk van de wonderlijke fasen van dat leven iets zal betekenen: een foto van hoe de voormalige landerijen van Tonsen langzaam worden bebouwd, een woonwijk in wording, met midden in de kleizee een hijskraan die een betonnen element van Blok 4 op zijn plek draait. Onze vader zit in de cabine van die kraan, op een warme zomerdag in 1953, hij werkt vrijwillig mee aan de opbouw, net als al die andere mannen die op de foto te zien zijn, mannen in geruite overhemden met bretels en opgestroopte mouwen en petten, en dat geeft ons recht op een woning hier. Het is in wezen een trotse foto, in elk geval zonder een pijnlijk geheim. Maar hij is ook hier onzichtbaar, een onzichtbare man die een hijskraan bestuurt die op een ijzeren reiger lijkt en op een galg, die bezig is genummerde betonnen elementen precies op de aangewezen plek neer te zetten, zodat er de komende decennia mensen tussen kunnen wonen, zitten, eten en slapen en kinderen opvoeden die groter worden en mysteries onderzoeken en die geheimen hebben die in hen dreigen te exploderen.

Hij geeft me een plechtig gevoel, deze foto die altijd in een lade opgesloten heeft gezeten; ik zit ermee op mijn schoot, leg hem op tafel en duw ermee tegen het zoutvaatje, bezorgd bijna, kijk naar buiten door onze nieuwe pastelkleurige lamellen die alleen mijn moeder mag bedienen, Linda en ik maken een zootje van de snoeren en de standen, kijk naar de bergtop van Freddy 1 en daarna weer naar de foto, een zwart-witfoto van een onzichtbare man aan het werk.

Mijn foto.

Ook Linda heeft haar foto gevonden, een foto van mijn moeder die op de bumper van een zwarte Ford zit, die ik onmiddellijk herken als een model1936. Ze draagt sandalen en een witte jurk, heeft madeliefjes in haar haar en glimlacht alsof ze reageert op een plagerige opmerking van bijvoorbeeld mij, of Linda, in elk geval van iemand van wie ze houdt. De levendigste foto van de hele stapel, een snapshot van een zorgeloos ogenblik in mijn moeders leven. Zou ze dát niet terug willen zien, of niet willen dat wij dat zien, dat ze glimlacht en gelukkig is?

Omdat dat voorbij is?

Ik heb ook foto's van mezelf uit een tijd die voorbij is, op bijna allemaal sta ik in mijn eentje, omdat mijn moeder ze heeft genomen en de rest zijn foto's van haar en mij samen. Afgezien van de foto's die Marlene afgelopen zomer heeft gemaakt, waar ik met Linda en Boris op sta en die durven we toch wel te bekijken? Daarom bewaren we ze tenslotte. We halen ze van tijd tot tijd tevoorschijn en voelen dat er iets klopt, we zitten daar zwijgend, mijmerend en laten ons in vriendelijke bewoordingen toespreken door ons geheugen. Bovendien: wij zijn net zo gewoon als de mensen die staan afgebeeld op de stapel op tafel.

'Die wil ik,' zegt Linda terwijl ze naar de foto van mijn moeder wijst. Ze loopt naar het aanrecht en trekt de lade open met allerlei spullen die niet bij elkaar of ergens anders bij horen, haalt een rol plakband en een schaar tevoorschijn en verdwijnt in de slaapkamer terwijl ik de foto's weer bij elkaar veeg en achter haar aan loop.

Linda heeft mijn moeder op de muur boven haar bed geplakt.

Nu ligt ze met haar armen onder haar hoofd naar haar te kijken. Ik leg de enveloppen en het album terug in de la, stop de sleutel in het juwelenkistje, ga op de stoel zitten waar onze kleren altijd liggen en kijk naar de foto. Terwijl we zo liggen en zitten en ik het zowel fijn als vreemd vind hoe weinig mijn moeder sinds die tijd veranderd is en ik me afvraag wat er zo bijzonder aan die foto is dat hij niet mag worden gezien, komt ze thuis.

Ik zie aan haar vermoeide blik dat ze ook vandaag een telefoontje heeft gekregen en dat ze zich heeft voorbereid op weer een zinloos vragenrondje met Linda, op nog meer van al die dingen waar ze geen puf meer voor heeft. Maar dan ontdekt ze de foto en blijft staan, denkt na, en zegt: 'Ik zie dat jullie de foto's hebben bekeken.'

Ze loopt weg om in de hal haar jas op te hangen, komt terug en gaat naast Linda zitten. We kijken samen naar de foto. Moeder op een bumper. De foto hangt tussen ons in. Ze kijkt ernaar zoals ik naar foto's kijk en ik voel dat we allemaal in een zwijgend koor denken: mijn god, wat is het heerlijk om zo gewoon te zijn.

24

Toen was het gelukkig weekend. Linda en ik stonden voor moeder op, kookten eieren en dekten de tafel. We ontbeten, kleedden ons aan en namen de bus naar vliegveld Fornebu, waar we zesentwintig keer de roltrap naar boven en naar beneden mochten nemen en we vijftig øre in een automaat stopten die ons toegang gaf tot een lang dakterras waarvandaan we de vliegtuigen konden bewonderen, die angstaanjagende insecten die naar Anchorage en Roemenië vlogen en waar merkwaardig genoeg mensen in zaten, gewone mensen, net als wij, volgens mijn moeder, mensen die misschien niet eens bang waren. Waarschijnlijk hadden ze hun mutsen en wanten in zakjes op de rugleuning voor hen gestopt, op de met tapijt bedekte vloer stonden schoenen en laarzen met aan elkaar geknoopte veters; misschien had een meisje van Linda's leeftijd wel haar parkiet in een gouden kooitje bij zich. Het kon allemaal, want zo goed als niets van wat zich in een vliegtuig bevindt is van buitenaf zichtbaar.

Ik had niet meer dan drie, vier opstijgende vliegtuigen nodig om te ontdekken dat je in al dat geluid zo hard kon brullen als je maar wilde, zonder dat iemand het hoorde. Toen begon Linda ook te gillen. We hoorden geen bal. We schreeuwden zo hard dat we het tot in onze tenen voelden en het bleef stil.

Toen begon moeder ook te gillen, een beetje onwennig in het begin, gebrek aan oefening waarschijnlijk, maar na een poosje ging het beter en ook haar konden we niet horen – we schreeuwden uit volle borst en lachten tot we het zo koud hadden dat we bijna doodvroren. Toen gingen we naar het restaurant en aten wafels en fluisterden tegen elkaar en hoorden dat ook niet – dit was zo'n dag die eeuwig had mogen duren.

In de bus naar huis zaten we helemaal achterin, Linda sliep met haar hoofd op mijn moeders schoot en mijn moeder vroeg fluisterend of ik op het schoolplein had gemerkt dat iemand haar pestte.

Ik zei nee, benadrukte ook dat ik echt goed had opgelet, dat wil zeggen in de weinige pauzes die we de afgelopen week op school hadden meegemaakt.

'En thuis op straat?'

Daar had ik ook niks gezien. Maar…

'Maar wat?'

'Ze noemt je mamma.'

Mijn moeder was even de kluts kwijt en keek naar buiten, naar Wessels plass, het plein waar we ooit, in mijn jeugd, met een reusachtige plunjezak hadden gestaan, waarna ze vroeg: 'En ze heeft van de zomer echt leren zwemmen?'

'Ja hoor.'

'Écht?'

'De hele baai over. En weer terug.'

Mijn moeder knikte en mompelde dat Marlene dat ook al had gezegd. De bus reed weg, was verder leeg, op een zondagmiddag om drie uur eind oktober; de bus was leeg, een bus hijgt en kreunt en stopt en opent zijn harmonicadeuren en niemand stapt uit en niemand stapt in en hij rijdt verder alsof er niets gebeurd is, want het was nog steeds zo'n dag die wat mij betreft eeuwig had mogen duren.

'Heb je iemand verteld dat ze het eng vindt om tv te kijken?'

'Nee,' antwoord ik en wijs haar erop dat dat niet meer zo is.

'Heb je iemand verteld dat ze 's nachts in bed plast?'

'Nee. En dat doet ze ook niet meer.'

'Maar heb je het iemand verteld toen ze het nog wel deed?'

'Nee …'

'Wat houd je voor me achter, Finn!?'

'Anne-Berit zei een keer dat onze slaapkamer naar pies stonk.'

'Wat! Wanneer?'

'O, een hele poos geleden …'

Daar denkt mijn moeder over na, ze zal wel terugrekenen en ontdekken dat het meer dan een half jaar geleden is dat ze voor het laatst een zeiltje onder Linda's laken heeft gelegd en meer dan vier maanden geleden dat Linda een nieuw matras heeft gekregen, dat helemaal nergens naar ruikt.

Ze stelt nog een paar vragen, over wat ik anderen al dan niet zou hebben verteld, tot het tot me doordringt dat dit gesprek over mij gaat, dat mijn moeder de gevaren die ons kunnen treffen probeert te elimineren en dat ik daar in mijn nerveuze gedachteloosheid er een van zou kunnen zijn, iets waar ik nog maar een paar maanden geleden woedend om zou zijn geworden, maar wat me nu alleen maar moe maakt – we liggen immers onder de microscoop te spartelen, we worden in de gaten gehouden, door de autoriteiten.

Ik merk dat Linda haar ogen open heeft gedaan en maak mijn moeder daarop attent. Ze beheerst zich, streelt Linda's haar, kijkt naar de sombere gevels van Rosenhoff en Sinsen en registreert dat het nu regent, dat het steeds harder gaat regenen, alsof we ons in een waterval storten.

Linda vraagt: 'Wat is "creperen"?'

'Wat?'

'Wat is "creperen"?' vraagt ze nogmaals en mijn moeder en ik kijken elkaar aan.

'Waarom vraag je dat?'

Maar zo praat je niet tegen Linda.

'Wie zegt creperen?' vraag ik rustig terwijl ik door de grijze gordijnen naar buiten kijk.

'Dundas,' zegt Linda alsof ze tegen zichzelf praat.

'Dundas?'

'Een jongen uit haar klas, die noemen ze zo,' zeg ik en ik voel opeens een woede die ik naar ik weet moeilijk kwijt zal kunnen raken, voel dat deze dag misschien toch maar niet eeuwig moet duren.

'En wat zegt hij nog meer?' vraagt mijn moeder.

Maar hier moet een onomstotelijk feit worden vastgesteld: 'Dundas is een kleine etterbak,' zeg ik, 'met zijn kop vol snot dat uit zijn neus stroomt en in dikke lianen verandert waarmee hij door de bomen kan slingeren, daar komt het woord snotaap vandaan …'

'Finn, hou op!'

Maar Linda lacht en mijn moeder glimlacht besmuikt en met afgewend gezicht in de hoop niet al te bemoedigend over te komen, dus ga ik door met uitweiden over Dundas' miserabele bestaan, ik werk het hele repertoire af, de hele stammencode van de Travervei, van a tot z, we lachen en joelen en als we beginnen te ruziën wie aan het touwtje mag trekken en we bijna weer onszelf zijn, zegt mijn moeder tegen niemand in het bijzonder: 'Heeft ze dat echt gezegd, dat onze slaapkamer naar pies stonk?'

Als mijn moeder aan het eten begint, neem ik mijn woede en mijn zakje stalen knikkers mee, de hardste valuta die ik ooit heb bezeten, loop naar Freddy 1 en leg hem de zaak voor. Freddy 1, die waarschijnlijk ook meegegaan zou zijn zonder dat ik hem nog twee knikkers had aangeboden om Dundas in elkaar te slaan, Freddy 1 die meestal zélf de klappen krijgt.

We lopen naar Blok 7 en bellen aan bij Dundas, een deur waar zo weinig wordt aangebeld dat zijn moeder ons uiterst sceptisch bestudeert als we vragen of Dundas buiten komt spelen.

'Zo heet hij niet.'

Dundas is zich van geen gevaar bewust en neemt nauwelijks de tijd om zijn trui aan te trekken, hij dwarrelt de trappen al af als een badmintonpluimpje, met ons in zijn kielzog en wij confronteren hem met het geval Linda, iets wat hij compleet verkeerd begrijpt en als een pure aansporing opvat: 'Laat Linda creperen. Laat Linda creperen!'

Hij danst in het rond en geeft een voorstelling op het verlaten grasveld, wat het nog gemakkelijker maakt; we vliegen de kleine dreutel aan met al onze verschillende motieven, geven hem knietjes, slaan hem, stompen hem, eerst geïmproviseerd en ongecoördineerd – en zonder dat Dundas er een bal van begrijpt – maar gaandeweg doelgerichter, tot hij tegen de grond gaat en half bewusteloos begint te brabbelen. De woede die ik voel neemt af als ik merk dat onze lichamen afstevenen op de onherroepelijke vernietiging, het cruciale moment waarop iemand moet ingrijpen om te voorkomen dat de werkelijkheid het overneemt. Maar ik zie nog steeds de brullende Linda en De Aal met zijn gele vinger, ik zie haar bed en die belachelijke teddybeer en de schetsboeken vol dieren van een vreemde planeet, al die beelden die zo hopeloos zijn dat ze niet kunnen worden uitgeroeid tenzij ik daar zelf voor zorg. Maar als er iets onder mij kraakt kom ik toch bij mijn positieven en begin ik te trillen, ik schreeuw dat ik iets hoorde kraken, hou op! Maar Freddy 1 kijkt me alleen maar aan met zijn pas ontloken razernij en schreeuwt: 'Hij bloedt niet eens!'

Hij ramt zijn vuist tegen de snotterende neus zodat die weer kraakt. En nog een keer. Het heeft geen zin om te roepen. De stilte is een muur, een berg tussen de huizen. Ik moet hem van Dundas aftrekken en met hem door de modder rollen, ik weet me aan zijn rug vast te klampen, Freddy 1 die met al zijn kracht niet weet wat een schijnbeweging is en die opstaat en rondwankelt met mij op zijn rug en schreeuwt: 'La' me los, rotzak, ik maak 'm af!'

Maar ik laat niet los en Freddy 1 zakt in elkaar en blijft op zijn knieën naar lucht zitten happen, het is een houdgreep voor het leven, dat snapt hij en misschien snapt hij ook nog wel iets anders, want Dundas ligt onbeweeglijk op zijn rug, onherkenbaar terwijl er een hol, jankend trompetgeluid opstijgt tussen de flatgebouwen. Ik laat Freddy 1 los en kijk om me heen, in een verlaten, avondetende woonwijk op een koude zondagmiddag in oktober, met dat geluid in mijn oren, in mijn lichaam en mijn bloed, ik zie dat Dundas een arm en een knie beweegt en een oog opendoet. Maar dan is de woede er weer en Linda's stem die weergalmt in een lege bus. Ik buig me over het uitpuilende oog en zie dat het stijf staat van angst, zuiver als water, en ik besef dat als ik op dit ogenblik ook maar de minste weerstand had ontdekt, hij nooit meer zou zijn opgestaan.

Ik heb het dus in me.

Ik sta op en loop weg, met deze nieuwe zware last. Freddy 1 loopt ook weg, met onwennige, wankelende stappen, we lopen op rubber en wisselen een paar blikken, zorgen ervoor dat we het slagveld samen verlaten, loeren voor we elk in ons portiek verdwijnen over onze schouder en zien dat Dundas nog steeds in de blubber ligt en een paar huiveringwekkende pogingen doet om overeind te komen. Dundas, die nog nooit een vriend heeft gehad, maar die er binnenkort een zal krijgen.

25

De vele fasen en tinten van de straf, ik dacht ze allemaal te kennen, de schuld en de afgrond, mijn moeder die niets vraagt als ik binnenkom, ook al ziet ze het aan me, mijn moeder die niets wil weten en ik die niets zeg, maar mijn avondeten met een ander lichaam kauw, omdat ze niets wil weten – bovendien ken ik haar niet.

Ik ga eerder dan de anderen slapen en zie Linda het laddertje op klimmen en over de rand van het bed naar me loeren.

'Zie je er tegenop om morgen naar school te gaan?' vraag ik.

'Nee,' zegt ze en klautert helemaal naar boven en wil stoeien, maar blijft in plaats daarvan boven op me zitten, ernstig. 'Jij?'

'Nee.'

Dan zeg ik: 'Dundas is gecrepeerd.'

'Nee,' lacht ze, alsof het onderwerp in de bus vanaf het vliegveld is afgehandeld en ze laat me een vingerspelletje zien dat ze van Jenny heeft geleerd.

Het duurt zó lang voor er iets gebeurt, de halve maandag is al voorbij als Freddy 1 en ik uit de klas worden gehaald en naar De Aal worden gebracht, waar ons vermaningen en loodzware ernst wachten in een walm van sigarettenrook en te ver opengedraaide radiatoren. Maar dan wordt de procedure al weer onderbroken, misschien omdat wij er niet zo doodsbang uitzien als zou moeten, ook al is het voor deze ene keer menens.

We worden weer weggestuurd en lopen naar onze klas zonder een woord tegen elkaar te zeggen. We zitten achter onze tafeltjes te wachten, met lege hoofden. Dan word ik naar het kantoor van de directeur geroepen, alleen. En nu is mijn moeder er ook, ze zit op een stoel in een mantel die ik nog nooit heb gezien, duur, voor zover ik kan zien, met een hoed en een handtasje die ik allebei ook nog nooit heb gezien, haar knieën stijf tegen elkaar en haar rug recht als een ijzeren staaf, de officiële moeder, de verkoopster in een schoenenwinkel die weet hoe je een kas opmaakt en tot op de laatste øre laat kloppen. Ze ziet me nog steeds niet. Maar toch ben ik haar zoon besef ik plotseling, want de vijand is verdeeld, mijn moeder en de directeur vormen niet één front.

'Het jongetje heeft een paar gebroken ribben,' zegt De Aal somber over Dundas. 'Hij heeft een gekneusde arm, blauwe plekken op zijn hele lichaam, twee tanden …'

Mijn moeder kijkt nog steeds niet mijn kant op, maar wacht tot De Aal klaar is en zegt onverschrokken, richting zijn wolkenbank: 'Het zal niet weer gebeuren. Daar zorg ik wel voor.'

'O, echt waar?' klinkt het sceptisch.

'Ja,' houdt ze koppig vol. 'Dus misschien kunnen we dan nu uitzoeken waarom niemand heeft gemerkt dat Linda werd gepest …'

'Dat kun je toch niet met elkaar vergelijken.'

'Ze is een paar keer naar huis gestuurd en daar is niets aan gedaan. Jullie stuurden haar gewoon naar huis …'

'Allemachtig!'

'Is er überhaupt iets aan gedaan?'

'Wat probeert u te insinueren?'

De stilte is lang. Het is de stilte van De Aal, de autoriteiten en de rechtsstaat. Ik kijk naar haar en zie dat ze aan het eind van haar krachten is, draai me om en roep over het bureau heen: 'Als je klikt ga je eraan!'

'Wat?'

'Linda heeft niet geklikt.'

De Aal wurgt zijn sigaret met zijn blote handen en leunt achterover.

'Zo, zo, jongeman. En wat wil je daarmee zeggen?'

Mijn moeder is terug: 'Hij bedoelt dat als ze iets had gezegd, ze dan zou zijn …'

Ze laat de zin in de lucht hangen en lijkt te worden meegesleept door haar eigen schrikbeelden, iets wat een zekere indruk op De Aal maakt, dat ontgaat me niet. Hij schudt zijn leisteengrijze hoofd en mijn moeder dendert door en sluit af met de onomstotelijke conclusie: 'De school is verantwoordelijk voor dat soort toestanden.'

Daarna heeft ze weer even rust nodig. En nu kan ik ook niks meer verzinnen om te zeggen, maar ik sta wél rechtop, zodat op mijn houding in elk geval niks aan te merken valt. Dan verandert De Aal van toon.

'Is het hier dan zo erg?' vraagt hij in mijn richting, opeens in de verdediging gedrongen.

'Nee,' zeg ik snel. 'Jawel.'

Het waarachtigste antwoord dat ik ooit heb gegeven. Dan wil mijn moeder het afronden:

'Hoelang wordt hij van school gestuurd?'

De Aal moet naar een nieuwe sigaret grijpen en zegt vlak: 'Daar krijgt u nog bericht van.'

Mijn moeder staat op.

'Goed. Was er verder nog iets?'

Er was verder niets.

We weten de gang te bereiken waar zich gelukkig geen ooggetuigen bevinden en ik krijg een idee van wat deze voorstelling haar gekost moet hebben als ze naar de dichtstbijzijnde muur wankelt en met een hand op de vensterbank leunt, gespannen en voorovergebogen; ik durf niks te zeggen, sta alleen klaar om haar op te vangen voor het geval dat ze valt.

Toch heb ik het gevoel dat dit drama niet langer mijn drama is, als het dat ooit al geweest is, het is het drama van haar en De Aal, het gaat de hele samenleving aan.

'Dankjewel,' zegt ze opeens en ze loopt met klakkende hakken naar de lerarenuitgang, laat mij achter in de totaal verlaten gang.

Maar is dit hetzelfde als op een zomerdag op een steiger staan en haar te zien verdwijnen op een boot? Nee, dat is het niet, dit is iets heel anders, het doet niet eens pijn, ik zie namelijk aan de rug die nu door de klapperende glazen deuren verdwijnt dat ze niet bang of ongelukkig is, dat ze misschien niet eens acute plannen heeft om ons te verlaten, maar dat ze opgelucht is als ze de Lørenvei inslaat en verdwijnt achter de bladloze bosjes.

In een gróéne mantel?

Ik bevind me in het niemandsland tussen schuldig, begenadigd en murw gebeukt, catharsis, heet dat waarschijnlijk. Ik blijf staan tot de geluiden van het gebouw me vertellen dat de bel zo gaat, dat onhoorbaar ritselen van het cement dat je latentie zou kunnen noemen, het geluid dat er eerder is dan zichzelf en dat elk schoolkind net zo goed kent als het ritme van zijn eigen hartslag.

Dan loop ik terug naar mijn klas, klop aan en stap naar binnen zonder het 'binnen' van juf Henriksen af te wachten, beantwoord de vragende blik van Freddy 1 met een geruststellend knikje, ga achter mijn tafeltje zitten en kijk recht voor me uit – alsof ik een opdracht heb uitgevoerd – naar juf Henriksen met de mooie stem, die zich afvraagt of ze de zaak ook in háár handen moet nemen, hem in het licht van de Tweede Wereldoorlog moet behandelen misschien, als we het volgende ogenblik worden gered door de bel.

26

We hadden gehoord dat Dundas naar de Eerste Hulp was geweest, dat hij verminkt en dood was, dat er aangifte en gevangenisstraf zouden volgen. Maar hij stond donderdags al weer op het school-plein, met een opgezet gezicht, bloeddoorlopen ogen, een arm in een mitella en een traagheid in zijn anders zo springerige lichaam die het hem mogelijk maakte stil te staan te midden van de menigte en opdringerige vragen te beantwoorden.

Er hing een aura van zwavel, wespen en een plotselinge dood om hem heen. Toen zag ik dat hij iets in zijn hand hield, een voorwerp dat hij de mitella in en uit rolde, heen en weer, de beweging had iets mechanisch, alsof hij er op geoefend had, of alsof de stalen knikker hem in zijn macht had.

Ik liep naar hem toe en vroeg: 'Waar heb je die vandaan?'

'Van Freddy 1' zei hij meteen.

Ik keek naar zijn kleine knuist die de kogel nu stilhield zodat ik hem bijna kon zien. Ook Dundas was twee mensen in één: de stum-per met wie je medelijden kon hebben en het irritante rotjongetje met zijn gegil en gekrijs en een eeuwig groene snottebel, het jochie dat je het liefst in zee zou willen smijten. En ik wist dat Freddy 1 iemand was die snel spijt kreeg. Freddy was een goeie jongen. Ik had zelf ook gauw wroeging, maar ik was ook een tobber en een beginneling en kon niet voor onze eigen misdaad boeten door die van Dundas te vergeven, nooit. Ik hield mijn hoofd schuin, wist een soort knikje te produceren, draaide me om en liep weg.

Diezelfde dag kregen Freddy 1 en ik in de klas elk plechtig een brief overhandigd. We moesten onmiddellijk onze spullen pakken, de school verlaten en ons pas maandag weer laten zien, een milde straf, stond er met waarschuwende getypte letters, die te danken was aan het feit dat 'de gebeurtenis buiten het terrein van de school had plaats-gevonden'.

We liepen naar huis, ik was opgelucht, maar Freddy 1 had zo zijn eigen zorgen.

'Nou vallen er klappen.'

'Is je vader thuis?'

'Nee, mijn moeder en die slaat verdomd hard.'

'Heb je niks gezegd?'

'Nee ...'

Bij Freddy 1 thuis hadden ze ook geen telefoon en de brief die we maandag hadden meegekregen had hij weggegooid, de enigen die dus van niks wisten waren de moeder van Freddy 1 en zijn zussen, die op de middelbare school zaten.

Freddy 1 kwam die avond niet buiten spelen, hij zat in zijn vensterbank en zond met een zaklamp signalen naar mij, die ook niet buiten was omdat ik niet zeker wist hoe ik daar zou worden ontvangen.

Thuis was de zaak-Dundas vanaf maandag al een taboethema geweest, ook al lag de kwestie als een rottend kadaver op de keukentafel en betekende het weer een nieuwe fase in de relatie moeder-zoon. Om nog maar te zwijgen van de relatie zoon-huurder.

Kristian was namelijk ingewijd in de zaak en deed zo hard zijn best er niet over te praten dat hij bijna uit zijn voegen barstte, alsof we eindelijk bondgenoten en samenzweerders waren en we ons konden verdiepen in de vraag hoe je Fahrenheit in Celsius omzet terwijl ik alleen maar dacht aan de munt waar hij me ooit over had verteld, de geschiedenis en de slijtage; nu wist ik ook wat een faux pas was, dat was een zonde waar geen berouw of boetedoening voor bestond, een onvergeeflijke misdaad die in je zit en die daar blijft zitten, als een litteken.

Dan had mijn moeder meer stijl.

'Deze zaak is wat mij betreft afgehandeld,' zei ze toen ik maandagmiddag thuiskwam. 'Wat wil je op brood?'

'Waar heb je die mantel vandaan?'

'Wat?'

'De mantel die je vandaag aanhad?'

'Hou daarmee op.'

En dat was dat.

'Ik wil er eentje met metworst, eentje met salami en eentje met Banos.'

'Zo zeg je dat niet, Finn, dat weet je best.'

'Mág ik dat, dan ..?'

'Dat is beter.'

'Heb je die geleend?'

'Wat?'

'Die mantel?'

'Begin je nou al weer!'

Ik dacht na.

'Mooie mantel.'

'Fínn!'

'…'

Ik stak mijn handen in de lucht en ook al vertrouwde ik op de rug die ik eerder die dag het schoolgebouw had zien verlaten, ik voelde dat ik haar niet meer, zoals vroeger, zo kon ergeren dat ze het punt bereikte dat haar stemming omsloeg en ze een vermoeid, verlossend lachje liet horen. In plaats daarvan loerde ik naar de duisternis achter het raam, waar het interessante fenomeen zich voordeed dat de herfst bezig was winter te worden, en waar mijn spiegelbeeld zichtbaar was. Mijn moeder ruimde de margarine, het beleg en het brood op, schonk een kop koffie in, ging zitten, keek me aan over de tafel en deed alsof ze nu pas zag dat ik daar zat te somberen: 'Waar zit jij over te piekeren?'

Dat zou je als een uitnodiging kunnen opvatten, o ja, maar ik kon me er toch niet toe zetten om te zeggen: 'Die mantel …'

We wisten domweg niet wat we moesten zeggen, zij niet, en ik niet.

Dat was maandag. Nu was het donderdag, de jury was tot een oordeel gekomen en ik was buiten op straat geweest en had gemerkt dat de anderen zich anders tegen me gedroegen; ik wil het geen respect noemen, al was het dat nu juist wel, omdat we zo grondig te werk waren gegaan, maar eigenlijk hadden we alleen maar een dader tot slachtoffer gemaakt, moesten we achteraf toegeven, en dat verdiende Dundas niet, of misschien juist wel? Deze boekhouding klopte niet, was eeuwig en altijd uit balans.

Ook Freddy 1 voelde zich ongemakkelijk en rusteloos in zijn

nieuwe rol als iemand die respect afdwong; hij had zich een nogal patserig loopje en een holle lach aangemeten en greep zelfs in bij een conflict tussen twee kleine kinderen die ruzieden over een paar filmsterrenplaatjes, wilde blijkbaar op de grondwet lijken, iets wat groter was dan hijzelf. Maar toen presteerde hij het om alles op vrijdag al te verpesten door een nieuw record boeren te vestigen, een talent waar hij sowieso al beroemd om was, door zich in één lange boer door bijna het hele alfabet te spellen, tot de letter o, en wel met zoveel overgave dat de meisjes 'iiieuw' konden gillen zoals ze altijd hadden gedaan en de jongens gerustgesteld konden constateren dat hij nog steeds de oude was, Freddy 1, de man met karakter en persoonlijke records in takken van sport die niemand anders beoefende.

Bovendien stond Dundas naast hem en dat was de fanatiekste supporter van het boeren, slachtoffer Dundas; halverwege de week daarna zou hij zijn mitella afgooien en weer een kleine week later zouden ook zijn blauwe plekken verdwenen zijn. Het enige wat helpt is een flink pak slaag, vindt Freddy 1, maar die vindt dan ook dat misdaad loont.

En Linda?

Die zat binnen huiswerk te maken en redeneerde en praatte nu in hele zinnen.

'Finn, mag ik jouw wasco lenen, als ik beloof dat ik ze dinsdag teruggeef?'

'Dat duurt nog drie dagen.'

'Ja, zo lang duurt het.'

'Wat?'

'Een tekening die ik wil maken ... om weg te geven.'

'Aan wie dan?'

'Dat zeg ik niet.'

'Je hebt toch zelf wasco?'

'Geen oranje.'

'Dan kun je toch alleen oranje lenen?'

'Nee.'

Ze liep een paar dagen met Freddy 1 en mij mee naar school. Daarna liep ze weer op met de tweeling en soldaat Jenny. Er kwam een brief dat ze misschien dyslexie had en mijn moeder moest weer krachten uit haar tenen halen. Maar het is vreemd met dat gedeelte van de hel waar je een Griekse naam voor kunt gebruiken: Linda kreeg speciaal onderwijs van de aardigste meester van de school, Gillebo – ze keek naar aquarellen van dassen en kraanvogels die hij zelf had geschilderd en luisterde naar zijn hypnotiserende stem en na slechts drie uur zat ze alweer in de klas, naast de tweeling en Dundas, die nooit zou leren lezen. Ze was waar ze hoorde te zijn. Misschien was het dus toch geen dyslexie, stond er in de volgende brief: de gezondheidsverklaring, zoals mijn moeder hem noemde voordat ze de brief opborg bij alle andere correspondentie die we in de loop van dat jaar hadden gekregen, het langste jaar ooit, geen dyslexie, maar wel iets anders, want iets moest het toch zijn. Toen kwam de sneeuw.

27

Die kwam en bleef liggen. Er verschenen springschansen en glijbanen, er waren sneeuwballen en wintervingers en melkwit schaatsijs. Zoals een winter hoort te zijn. Met pauken en tromgeroffel en een onbeweeglijke stilte. Het liep tegen Kerstmis. Ik gaf Freddy 1 nog een stalen knikker en hij gaf mij er een, je kon het verschil nauwelijks zien, maar die van mij was ingepakt. Linda zou ski's krijgen en daar werd zo geheimzinnig over gedaan dat Kristian 's avonds in de hobbyruimte in de kelder de bindingen erop monteerde, ze impregneerde en ze daarna naar de zolderberging sjouwde om ze te verstoppen achter de koffer die in Dombås was geweest.

Er werd een kerstboom aangeschaft die vanaf 19 december in de wervelende sneeuw op het balkon stond en die elke avond door mijn moeder en Linda werd bewonderd, met mij wat op de achtergrond. De jaarlijkse discussie over waar we de kerst zouden vieren moest ook weer gevoerd worden, maar nu in een andere vorm.

We hadden de familie tenslotte weinig gezien het afgelopen jaar en het gerucht ging dat oom Tor ontslagen was bij het restaurant waar hij werkte – wegens dronkenschap, zei mijn moeder onomwonden. Maar hij had zich aangemeld op de zeemansschool om machinist op de zeven zeeën te worden en was aan een nieuw en beter leven begonnen, oom Tor, flierefluiter en charmeur, zoals oom Bjarne hem noemde. Oma werd er ook niet jonger op terwijl ze naast de roodgloeiend opgestookte kachel patience zat te spelen en won.

Maar weer had ik iets op mijn hart.

'Ik wil thuisblijven,' zei ik.

Ik zei het niet heel hard en niet om moeilijk te doen, het was gewoon een zin die om onduidelijke redenen moest worden uitgesproken, dezelfde onduidelijkheid die me deze hele herfst geleid had, alsof ik weer iets 'gezien' had.

We hadden bovendien na de geschiedenis met Dundas een paar rustige weken achter de rug, een huiselijk, besloten bestaan zoals dat zich in een voorstad hoort af te spelen, een ritmisch, dag in dag uit zwoegen dat in het gunstigste geval doet denken aan zachte muziek uit kleine radio's heel laat op de avond, zonder Kristian; en hoe ging het met mijn moeder?

Wel, die zat me heel ontspannen aan te kijken over de rand van haar boek, *Als de dauw hangt komt er regen*, een boek dat we al twee, drie keer hadden gelezen en dat ging over mensen die elkaar niet kregen, net als Tanja en ik, maar om veel prozaïscher redenen – een boek dat ze naar ik wist graag in haar eentje las, omdat ze dan kon janken wanneer ze maar wilde en aangezien ik geen antwoord kon geven op de vraag waarom ik niet naar de familie wilde, keek ik naar Linda die op haar buik voor de televisie lag met haar kin op haar handen en die haar dunne kuiten heen en weer bewoog, wat mijn moeder opvatte als een hint.

'Wat zeg jij, Linda, zullen we met kerst naar mijn familie gaan?'

'Ja,' zei Linda simpel tegen de buis.

Dus zat er niks anders op dan op de vierentwintigste de oude rugzak vol te stouwen met pakjes en die kant op te gaan, om een uur of twaalf al, ik met de ingepakte ski's over mijn schouder, Linda naast me met haar schooltas en met een verwachtingsvol glimlachje naar me opkijkend terwijl ze domme sprongetjes maakte. Tegen de tijd dat we aankwamen was mijn moeder buiten adem en had ze rode wangen van al dat gesjouw, waarna ze zich onmiddellijk wapende met haar familiestem toen ze aan de slag ging met het eten, waar nogal wat op aan te merken viel, althans op de boodschappen die door een buurman waren gehaald op basis van oma's seniele aanwijzingen.

Linda en ik werden naar de kelder gestuurd, naar oom Oskar die nog steeds dezelfde was, met zijn overall en pet en de bijl in zijn handen, aangenaam vertrouwd. Maar het hok was sinds de vorige keer kleiner geworden en reikte niet meer van plafond tot vloer – dat was het eerste teken dat er iets mis was. Was ik zo gegroeid? Of nam Linda te veel plaats in met haar nieuwe witte jurk, de rode linten in haar vlechtjes en haar klaterende lach waardoor oom Oskar met open mond schaterde zodat het leek als hij opeens van zijn kanker was genezen?

'Jij bent me er eentje,' zei hij steeds maar weer over haar gebabbel en oom Oskar was niet iemand die te pas en te onpas glimlachte, we waren hier beneden serieus, we werkten met brandstof, geconcentreerd. Maar de bijl was lichter geworden, ik hoefde hem niet meer met twee handen vast te houden, de stapels waren lager en Linda stapelde op onze aanwijzingen de blokken op elkaar en was zwart van het stof en de cokes toen we elk met een lading hout weer binnenstapten in de lucht van varkenskarbonaadjes en we haar aan de bijdehante nichtjes konden laten zien die inmiddels waren gearriveerd en die zoals altijd weer de indruk wekten met twee keer zoveel te zijn als in werkelijkheid het geval was.

Ze kregen nu de opdracht het nieuwe familielid te fatsoeneren in de piepkleine badkamer, waar een miniatuurbadkuip op leeuwenpoten stond met in het bad een groene vlek die van de kraan naar de afvoer liep en die op een varkenskop leek. We hoorden gegiechel en geroep daarbinnen, in een dialect dat door de dichte deur nog exotischer klonk. Mijn moeder liep als een nerveuze portier heen en weer en klopte aan en vroeg hoelang ze daar binnen dachten te blijven en of ze wel licht hadden en nu moesten ze verdorie naar buiten komen terwijl alle anderen deden alsof ze haar merkwaardige gedrag niet eens zagen. Ik had het eerder gezien, maar het viel me nu pas op.

'Is het licht aan?' gilde ze.

'Kies een kaart,' zei oma.

Ik trok schoppenacht. En ook dat was niet zoals het hoorde te zijn.

Er zaten dit jaar elektrische lichtjes in de kerstboom, er waren snoepjes en hazelnoten en zandkoekjes, het rook naar reuzel en komijn en haarlak en sigaretten, het kamerscherm stond zoals gewoonlijk te trillen in de hitte terwijl oom Tor in de vensterbank zat, borrels dronk en kettingrookte en zei dat ik ontzettend groot was geworden sinds de vorige keer, wat een beleefde overdrijving was, maar oom Bjarne vond dat ik nog geen millimeter was gegroeid, wat een onbeleefde onderdrijving was.

'Kijk eens naar Marit,' zei hij. 'Als die zo doorgaat, wordt ze nog eens fotomodel.'

'Ha, ha, die dikke papzak,' lachte oom Tor terwijl hij net diep inhaleerde en moest hoesten en kuchen dat zijn lach deed smoren en oom Bjarne hem vroeg zijn kop te houden – ze kan je horen, gek.

Tante Marit veegde notendoppen van haar jurk, stond op en zei: 'Je denkt toch niet dat ik hiernaar ga zitten luisteren!'

Ze liep naar de keuken, waar mijn moeder zichzelf weer in de hand had omdat de meisjes niet meer in de badkamer waren. Ze was nu druk in de weer met het eten en had geen hulp nodig, geen sprake van, ze was niet hier gekomen om hulp te krijgen en oom Bjarne zag in de afwezigheid van de dames zijn kans schoon om neerbuigend te doen over oom Tors nieuwe loopbaan, de machinistencursus aan de zeemansschool die, naar ik begreep, een soort hulpklas voor volwassenen was.

Ik probeerde te doen of mijn neus bloedde, maar de stemming was niet mis te verstaan – oom Bjarne droeg een net pak en een marineblauwe stropdas, had een vouw in zijn broek en was gladgeschoren, zijn haar gekamd, rook naar aftershave en droeg gepoetste zwarte schoenen. En Tor was in alles zijn absolute tegenpool, al hadden zijn bruine schoenen, zijn veterdas, zijn catastrofekapsel en de weerbarstige knieën in zijn niet geperste broek iets dromerigs en zelfverzekerds, alsof hij een gelijkwaardig alternatief was voor zijn oudere broer en ze niet alleen maar twee incongruente werelden waren, maar twee tijdperken die elkaar hier uitdaagden met kleine, glimlachende schimpscheuten die eerder op ongeneeslijke schaafwonden leken dan op joviale grappen en die er misschien al sinds hun jeugd waren geweest, het was me alleen nog niet eerder opgevallen, net als de lach van oom Oskar – maar misschien was die er ook altijd al geweest?

Of was het iets wat Linda had meegebracht?

Ik zag ook dat oma misschien niet zo seniel was als werd verondersteld en besloten was, maar wie weet alleen maar de gordijnen had dichtgetrokken vanwege de duisternis en de gelegenheid; dat ze niet in haar schommelstoel kaarten zat te tellen, maar minuten, dat ze wachtte tot ze het maar weer achter de rug had, zoals mijn moeder altijd zei als we na deze drama's naar huis liepen, ze was gewoon aan het aftellen.

En ikzelf?

Ik was te zien in een smalle zwartomlijste spiegel die altijd al aan de muur achter oma had gehangen en die meestal met een doek was bedekt. Misschien was ik echt gegroeid, alsof het vier jaar geleden was dat ik hier voor het laatst was geweest – ik was een kop groter, er was geen plek voor mijn schouders, mijn borstkas en armen verdwenen, ik kon mijn handen niet zien, ook al hield ik ze voor mijn gezicht en duwde ik ze tegen het afgebladderde spiegelglas, er was ook geen plek voor mijn ogen, er was helemaal nergens plek voor, voor niets wat met mij te maken had in elk geval, maar toch was dat niet iets om bang van te worden, want het was net als met mijn moeder, het viel de anderen niet op.

'En?' vroeg oma. 'Ga je hem nog omdraaien of hoe zit dat?'

Ik keek naar het tafeltje dat oom Oskar voor haar had gemaakt, naar een kaart die met de rug naar boven lag en ik deed alsof ik me afvroeg of het raadzaam was die om te draaien, maar ik zag ook het plagerige glimlachje in haar verwelkte mondhoeken en schudde langzaam mijn hoofd.

'Ik durf niet,' zei ik met een zo breed mogelijke glimlach.

'Dat is heel verstandig,' zei ze, stopte de kaart terug in het stapeltje en begon te schudden en weer te delen, te schudden en te delen ... Inmiddels was Linda gefatsoeneerd, ze werd rondgeleid als een prinsesje en iedereen riep om het hardst tegen haar hoe fraai ze eruitzag en hoe klein en mooi en flink ze was. Ze maakte een revérence en toen zag ik dat er echt een kern van waarheid in al dat geblaat zat, dat we alleen een jaar nodig hadden gehad om dat te ontdekken – in de blikken van de anderen die naar haar keken – en nu stond het zelfs te lezen op het verveelde gezicht van tante Marit, dat Linda niet alleen net als de anderen was, maar dat ze zelfs haar dochters dreigde te overvleugelen.

Dat was het vierde alarmsignaal. Of het vijfde ...

De zes meisjes bleken in de trein hiernaartoe alvast een kerstcadeautje gekregen te hebben, om hen zoet te houden tot we gegeten hadden en de echte pakjes opengemaakt konden worden, een mikadospel dat op de keukentafel werd uitgestrooid en dat Linda keer op keer won; haar kleine hand was vast als een huis en pakte elke keer weer alle stokjes zonder een van de andere aan te raken, en dat was iets te veel van het goede zodat Marit haar toevlucht moest zoeken tot een van haar trucjes.

'Je raakte hem aan! Ik zag het!'

Maar Linda vertrouwde op haar grote niet-begrijpende ogen die veel meer effect hadden dan Marits exotische dialect.

'Kun je niet tegen je verlies, Marit?' lachte oom Tor die in de keuken mineraalwater kwam halen en in het voorbijgaan Linda goedkeurend over haar bol aaide.

'Denk je dat ik lieg!'

'Ach, maak je niet zo druk.'

'Zo praat je niet tegen haar, Tor, laat ik je dat zeggen,' zei oom Bjarne die achter hem aan gelopen was.

'Ik praat hier verdomme toch zeker zoals ik wil, ze kan gewoon niet tegen haar verlies.'

'Rustig aan, broertje, anders zal ik je deze laten voelen,' zei oom Bjarne terwijl hij een joviale vuist omhoogstak in een poging de stemming wat losser te maken, de stemming die in de loop van de middag alleen maar grimmiger was geworden, alsof we ons in een steeds sneller draaiende carrousel bevonden. Oom Tor zette zijn voeten met de ongepoetste schoenen een stukje uit elkaar, knikte professioneel door zijn heupen en begon boksend rond te dansen als een halve Ingmar Johansson en maakte schijnbewegingen naar pakken suiker en blikken koffie en een kerstroos die in de vensterbank stond te bibberen en naar de pruttelende pan zuurkool van mijn moeder, greep haar resoluut bij haar middel en zwierde haar in het rond in een wervelende wals terwijl hij het thema uit *De derde man* zong; en om de een of andere reden stond de woede steeds duidelijker te lezen op het gezicht van de succesvolle ingenieur van de papierfabriek, we zagen allemaal dat er nu iets ging gebeuren, maar toen fluisterde tante Marit precies zo zacht dat het niemand kon ontgaan: 'Ik zei toch dat we dit jaar niet hadden moeten komen.'

'Dat heb je verdomme helemaal niet gezegd!'

'O, nou zou ik dat niet gezegd hebben, zeker.'

'Nee, dat heb je zeker niet gezegd nee, jij moest zo nodig hiernaartoe om naar dat gestoorde kind te kijken.'

'Bjarne!'

Toen was het afgelopen met dansen. Mijn moeder bevrijdde zich uit oom Tors greep, deed drie doelgerichte stappen door de keuken en sloeg met vlakke hand en uit alle macht in het gezicht van broer nummer twee zodat hij achteruit wankelde en neerzeeg op de bank waar hij normaal gesproken het laatste gedeelte van de avond doorbracht met het lezen van de twee boeken die hij zoals altijd kreeg.

'Hoe durf je, verdomme ...'

Hij wilde weer opstaan, maar werd tegengehouden door nog een klap en bleef toen zitten, stond niet meer op. Tante Marit slaakte een gesmoorde kreet. Mijn moeders hals en armen waren vuurrood en ze zag eruit alsof ze nog een aanval voorbereidde, iets wat ook oom Oskar gezien moest hebben, want hij wilde zijn armen om haar heen slaan, met het gevolg dat hij ook een klap op zijn bek kreeg.

'Ja, nou wil je ingrijpen,' krijste ze. 'Maar waar was je toen ik je nodig had!'

'Wat doen jullie daar?' riep oma vanuit de salon.

'Kijk eens naar haar!' schreeuwde mijn moeder met een stalen stem en ze wees naar Linda die als verstijfd een mikadostokje in haar ene hand vasthield en mij in de andere, als het al niet zo was dat ik me aan haar vastklampte. 'Herken je dat! Herken je dat!!'

Oom Oskar kromp ineen, schuldbewust en zielig. 'Jij was volwassen en je zag wat er gebeurde,' ging mijn moeder verder, 'jij en dat kreng daarbinnen!'

'Het doet pijn,' zei Marit, de andere meisjes barstten een voor een in snikken uit toen plotseling iets tot mijn moeder leek door te dringen, de onbegrijpelijke geluiden van oom Bjarne, misschien:

'Dacht je nou echt dat hij alleen jou te grazen nam, stom mens?!'

Er volgde iets over de duisternis van de badkamer, wat naar ik begreep met hun vader te maken had, mijn opa, over wie nog minder werd gepraat dan over mijn vader – we waren zelfs nooit naar zijn graf geweest, dat werd verzorgd door oom Oskar; ik was slechts één keer mee geweest, op een ijskoude ochtend vier jaar geleden, de dag voor kerst, om een kaarsje aan te steken en een krans neer te leggen, tussen miljoenen andere, en ik had gevraagd of opa in de hemel was en oom Oskar had stilletjes en bedaard in de vorstnevel nee gemompeld, die was in de hel.

Zo'n opmerking maakte oom Oskar niet elke dag, dus bleef ik wat met de punt van mijn schoen in de sneeuw staan wroeten, maar door de manier waarop hij het zei klonk het ook een beetje als 'we moeten allemaal toch ergens wonen', dus was ik het weer vergeten tot ik ontdekte dat ook oom Tor nu door iets onbegrijpelijks was gegrepen en met zijn voorhoofd tegen het ijskoude raam stond te janken als een kind.

'Deze familie heeft blijkbaar erg veel lol gehad,' snoof mijn moeder en ze deelde mee dat het feest wat ons betrof voorbij was, ze sleepte ons mee naar de hal en begon Linda aan te kleden die kaarsrecht bleef staan, nog steeds met een mikadostokje in haar hand dat mijn moeder moest breken om haar wanten aan te krijgen terwijl ik maakte dat ik alle cadeautjes die voor ons waren bij elkaar raapte en ze in de rugzak propte.

'Wat doen jullie daar?' riep oma.

'Niks,' zei mijn moeder. 'Zoals altijd.'

28

Het was nog geen vier uur. Het was stil in alle straten en alle huizen en ook in de hemel; ook wij gaven geen kik toen we door de droge stuifsneeuw sjokten tot we onder de spoorbrug bij de houtopslagplaats stonden, waar mijn moeder abrupt bleef staan en op mij neerkeek: 'Wist jij dat dit zou gebeuren?'

'Ik weet het niet,' zei ik terwijl ik onder haar blik ineendook. Ze ging op haar hurken zitten en gaf zich niet gewonnen, pakte mijn schouders beet, rammelde me door elkaar en keek recht in het hart van wat er nog van mij over was. 'Wist je dat dit zou gebeuren, Finn?'

'Ik weet het niet,' zei ik. 'Maar ik denk dat ik dingen … zie.'

'Wat dan? Wat zie je dan?'

Misschien had ik nu de mogelijkheid om haar terug te vinden, maar daar was veel meer voor nodig dan wat ik nu in huis had, ik vocht tegen mijn tranen.

'Begin jij niet ook nog eens,' zei ze. Ze stond op, keek om zich heen naar de besneeuwde spoorbrug en de autoloze weg die zich op dit punt splitste en naar het glinsterende, besneeuwde stuk land dat voor ons lag, een dikke kilometer naar huis in de vroege, koude kerstduisternis, alsof ze zich weer afvroeg waar ze zich in vredesnaam bevond. Toen rukte ze plotseling Linda's want uit en ontdekte bloed op haar hand.

'Wat is dit in vredesnaam?'

Linda keek beteuterd. 'Wat ís dit voor iets! Geef antwoord, kindje!'

'Ik heb haar in haar been geprikt.'

'Wat?'

Linda herhaalde de zin, iets zachter. 'Wíé heb je in haar been geprikt?'

'Marit. Met het mikadostokje.'

Mijn moeder en ik keken elkaar aan, ik in de desperate hoop dat we eindelijk weer zouden kunnen lachen, die verdwenen lach van ons. Maar ze was en bleef verloren voor mij.

'Godallemachtig. Pak uit.'

'Wat?'

'Pak uit,' zei ze resoluut en ze greep de ski's die ik op mijn schouder droeg en gaf ze aan Linda, die haar met grote ogen aankeek.

'Hier?'

'Ja, híér, liefje, kom op, uitpakken.'

Linda glimlachte stilletjes, vouwde het briefje open en las hardop: 'Voor Linda van mamma en Finn,' waarna ze het papier eraf begon te wikkelen, eindeloos langzaam om het niet kapot te maken, ze vouwde het op en stopte het in haar schooltas terwijl mijn moeder en ik toekeken.

Een paar Splitkein-ski's, 1 meter 40 meter lang, die Kristian had geïmpregneerd en met riempjes aan elkaar had gebonden met een houten klosje in het midden, zodat de veerkracht intact bleef, met Kandahar-bindingen die je kon instellen met messing schroefjes; Splitkein-ski's hebben iets stabiels en gecultiveerds dat de harten in dit sneeuwland sneller doet slaan, met hun glimmende mahoniehouten bovenkant met de lichte ingelegde vlakken die chocolade en historische ernst, bibliotheken en violen uitstralen.

'Ze heeft geen goeie schoenen.'

'Jawel hoor, hier.'

Mijn moeder rukte haar rugzak af en haalde Linda's bergschoenen tevoorschijn, beval haar te gaan zitten en trok haar die aan terwijl ik de riempjes losmaakte en ontdekte dat er geen wax onder de ski's zat, alleen maar een zwart laag impregneer dat nog steeds naar teer rook. Linda zette haar schoenen voorzichtig in de bindingen zodat ik ze kon vastmaken en instellen en mijn moeder zei: 'Begin nu maar te lopen.'

Linda deed twee passen en viel, ik hees haar weer overeind, maar ze viel weer. Mijn moeder maakte het touwtje van haar rugzak los en maakte een lus aan het ene uiteinde: 'Hou deze maar vast, dan trekken we je.'

Linda hield het touw vast en we trokken haar omhoog, Muselunden en Disenjordet op, als een kerstevangelie over de fundamenteelste relatie in je leven. Ik betrapte mijn moeder erop dat ze een keertje glimlachte en nog een keer. Toen gleed ze uit op het ijs onder de sneeuw, viel op haar achterwerk, bleef zitten en at sneeuw van haar handschoenen terwijl ze lachte en commentaar gaf op Linda's hopeloze techniek, die boos werd en haar een duw wilde geven; zo begonnen ze te stoeien terwijl ik stond toe te kijken als een toeschouwer, omdat er weer – pal voor mijn ogen – een nieuw hoofdstuk was opengeslagen in mijn moeders onbegrijpelijke wezen.

Het begon weer te sneeuwen, zwevende, witte as die uit een zwart niets neerdaalde en die geel werd in het licht van de lantaarns langs de Trondhjemsvei voor hij zich neervlijde op je huid en je kleren en de aarde. Ze bleven naast elkaar zitten, als twee even oude meisjes en vanwege dit beeld zie ik mijn jeugd altijd voor me als geel, deze lantaarns die voor deze ene keer tevergeefs schenen, er was geen auto te bekennen terwijl mijn hart klopte in een stolp van matglas. Toen begon mijn moeder plotseling op dezelfde ernstige toon te praten als waarmee ze ons afgelopen zomer op het eiland had achtergelaten – over het ziekenhuis waarin ze gelegen had, wat geen gewoon ziekenhuis was zoals het Aker-ziekenhuis, dat we vaag door de vallende sneeuw heen konden zien, waar ze je amandelen of je blindedarm weghaalden, maar een ziekenhuis dat probeerde slechte herinneringen uit te roeien, bijvoorbeeld dat je in je jeugd was opgesloten en verrot geslagen door je eigen vader, herinneringen die als gebarsten blindedarmen in je geheugen bleven liggen bloeden, hoe volwassen je ook werd en die zelfs de kleinste gedachte dreigden te vergiftigen; dus ook al vonden wij misschien dat het een moeilijk jaar was geweest, voor haar was het goed geweest, als puntje bij paaltje kwam, dat had ze alleen tot nu toe niet begrepen, tot dit ogenblik in feite, zowel vanwege het raadselachtige ziekenhuis als vanwege het feit dat we Linda hadden gekregen die haar nieuwe moed had gegeven en die haar iets geleerd had wat ze niet gedacht had nog ooit te kunnen leren, en ook vanwege mij, voegde ze er gelukkig aan toe, die er nog steeds was en die nog geen tekenen van gekte vertoonde, voorlopig.

'Snap je wat ik tegen je zeg, Finn?' riep ze veel te luid, maar met een brede glimlach, want het was als grapje bedoeld, ze zat daar zo superieur en onoverwinnelijk en sterk.

'Ja,' zei ik, maar eerder gehoorzaam dan overtuigd. Ook Linda zei ja en ze knikte een paar keer, want het was belangrijk dat we het nu met elkaar eens waren, dat snapten we nog wel en we snapten ook dat mijn moeder zich goed voelde, dat was meer dan genoeg.

Het was nauwelijks zes uur toen we onze flat binnenstommelden waar mijn moeder meteen de karbonades en frikadellen begon te bakken die eigenlijk voor eerste kerstdag waren bedoeld. Ik wikkelde Linda in een dekbed en zette haar voor de kerstboom die dit jaar niet alleen met eierdozen was versierd, maar met echte mandjes, gevlochten door Linda en mij en door Freddy 1, die de allergrootste had gemaakt. We propten ons vol met zelfgemaakte marsepein en pepernoten tot het eten op tafel kwam. En toen was er eindelijk ruimte voor een flinke lachbui, wat een avond, morgen moesten we ons maar behelpen met jus en zuurkool!

Na het eten waren er nog meer cadeautjes. Kleren en een poesiealbum voor Linda, een horloge voor mijn moeder van Kristian, die ook dit jaar kerst met zijn familie vierde, plus een stapel boeken voor mij.

Maar toen Linda in slaap was gevallen en we naar kerstliedjes op de radio luisterden en ik *De vijf op de smokkelaarsrots* las en mijn moeder drie glazen rode wijn dronk en stil als een gedicht in haar stoel naar de kerstboom zat te staren, bracht ze helaas een dodelijke steek toe aan de opluchting die ik daarginds in de sneeuw had gevoeld.

'Vind jij dat ik met Kristian moet trouwen?'

Ze draaide aan het horloge dat ze met een veel geroutineerder gezicht had uitgepakt dan destijds de gouden hazenbroche.

'Hij heeft me gevraagd, ja, wat vind jij?'

Ik zei heel snel nee. Herhaalde dat nog een keer, vrij luid.

'Waarom niet?'

'Waarom?'

Omdat mannen alleen maar stripfiguren waren, ik had een dode vader, een opa in de hel, ik kende Frank van de overkant die floot en naar paard rook, de vader van Freddy 1, die er nooit was en Jan met het droogijs en zijn veel te hoge stem en met hetzelfde rampzalige beroep als oom Tor; de enige met wie ik iets had was oom Oskar, in al zijn stilte, maar ook hij was schuldig aan iets wat ik me niet eens kon voorstellen. En alleen de gedachte al dat mijn moeder daar met de huurder in zijn tussenstation zou gaan liggen, bezorgde me koude rillingen.

'Ja, ja, het is een bedrieger,' mompelde ze plotseling, maar met een vreemd lachje.

'Ik wil niet door Kristian geadopteerd worden,' zei ik.

'Ja, dat komt er ook nog bij,' zei ze op diezelfde onverschillige toon en ze liet het horloge rond haar pols bungelen. Toen schoot haar iets te binnen. 'Maar die papieren van Linda komen maar niet rond.'

'Wat bedoel je?'

'Ik ben een alleenstaande moeder, Finn, alleen echtparen mogen adopteren. En dan al die trammelant die we hebben gehad ...'

Dat bleek heel veel te zijn, van het feit dat Linda medicijnen had gekregen, wat gelijkstond aan kindermishandeling, tot de herrie op school en Linda's mogelijke dyslexie of hoe het verdorie ook maar heette, wat het dus niet was, maar dat toch niet wilde weggaan. En toen ik niets te melden had omdat ik niet meer kon nadenken, zei ze:

'Iemand zit ons dwars, maar ik mag de papieren niet inzien, ik krijg alleen steeds te horen dat het nog wat langer kan duren, en nog wat langer ... En ...'

'Ja?' zei ik toen ze zweeg.

'En dan komen ze ermee aanzetten dat ik ziek ben geweest ...'

'Je bent toch gezond!'

'Ja, jawel ...'

Ik wilde gillen, want nu ging de avond toch nog naar de knoppen, ik wilde opstaan en weglopen, ware het niet dat ik dat al eens gedaan had, ik wilde zwart-witfoto's zien van mensen die met een kopje koffie voor een kruiptent zaten, die met hooivorken over hun schouders op een akker stonden en die het erg naar hun zin leken te hebben, ik wilde een onzichtbare kraandrijver zien en een moeder op een bumper van een Ford, maar het allerliefst wilde ik haar zien zoals ze nog maar een paar uur geleden naast Linda had gezeten, sneeuw had gegeten en had gezegd, zodat ik het bijna geloofde, dat het een fijn jaar was geweest.

'Maar we hebben nog een triomfkaart,' onderbrak ze mijn gedachten.

'Dat heet troefkaart!' riep ik boos.

Ze lachte en nam een slok wijn.

'Jij kunt het ook niet laten, hè.'

'En wat is dat dan?' riep ik. 'Die troefkaart?'

Ze keek me recht aan en zei bedaard: 'Dat ben jij. Jij bent familie van haar. Er is een bloed ...'

'Bloedband?'

'Ja, jij bent haar enige familie, afgezien van haar moeder, noch zij noch ... je vader heeft nog levende ...'

'Dus dan hoef je helemaal niet met Kristian te trouwen,' gooide ik eruit terwijl ze dromerig naar de kerstboom staarde, naar het mandje van Freddy 1, kreeg ik de indruk, dat in het oog sprong omdat het het grootste, stumperigste en absoluut geelste was dat ooit in een kerstboom had gehangen. Maar toen ontdekte ze iets waarvan ik had gehoopt dat ze het niet zou zien en wat ik in het licht van de laatste fase van ons gesprek besloten had volledig te verdonkeremanen, dus mocht ze het niet ontdekken, een laatste pakje, verscholen achter de voet van de kerstboom, een kleine cilinder van groen papier met een zelfgemaakt naamkaartje erop.

'Wat is dat?' vroeg ze, kwam overeind en raapte het op.

Linda had dit jaar de namen op de pakjes voorgelezen, maar dit was ze vergeten of had ze met opzet laten liggen en nu keek mijn moeder op het kaartje. 'Voor Kristian van Linda.'

Ze keek mij vragend aan, mijn moeder en ik hadden voor zover ik wist immers geen cadeautjes voor Kristian, om alle goede redenen die er konden bestaan om iemand geen cadeau te geven, een cadeau betekent veel te veel in onze situatie. 'Wat is dit?'

'Weet ik niet,' zei ik. Maar die tijd was voorbij, definitief, ze hoefde me alleen maar aan te kijken. 'Een tekening,' moest ik toegeven. 'Ik geloof dat het een paard is.'

'Een paard?'

'Ja, een páárd!'

Zo eindigt de avond, kerstavond, mijn moeder die een opgerolde tekening van een onherkenbaar paard vasthoudt en die niet weet of ze die moet openmaken of verdonkeremanen of aan de rechtmatige eigenaar moet overhandigen, en ik die naar de vermoeide letters kijk in het boek dat ik heb gekregen en die wat gemakkelijker op de bank gaat liggen, eigenlijk opdat het laatste wat ze zei niet zal verdwijnen – dat met die troefkaart, dat dat zou kunnen werken, terwijl we sloffende voeten in de flats om ons heen horen, stemmen en zacht gelach, een deur die wordt dichtgeknald en een kraan die wordt opengedraaid, de geluiden van het gebouw, de mompelende bloedsomloop van de radiatoren, we horen zelfs de afvalschacht – het geluid van de klep en de schacht en het lawaai beneden in de afvalbak en de voetstappen die zich weer verwijderen; en dan slaapt de wereld in bij de geur van stearine, bruine jus en dennentakken. Het is nacht in de flatgebouwen. De nacht van het jaar. Ik zie Linda naar me toe komen rennen en in ijle lucht oplossen om vervolgens tussen mijn vingers door te stromen en ik word wakker in een zee van zweet en hoor de donder.

Maar dat is het geluid van de slaap.

Een ver eiland in de duisternis. Twee eilanden, de ademhaling van Linda en die van mijn moeder, en ik blijf luisteren naar de geweldige hemel die alleen een moeder kan scheppen, maar die ook alleen een moeder kapot kan maken, tot het zweet op mijn lichaam opdroogt, want alles wordt duidelijker vanuit een uitkijkpost zoals deze, vanaf de top van de nacht. Ik hoef alleen maar op te staan, het horloge van haar nachtkastje te pakken en dat mee te nemen naar de keuken, de hamer te zoeken die we in een schoenendoos met gereedschap bewaren bovenin het kastje boven het aanrecht en de hele handel te vermorzelen op de formicatafel met één doelgerichte klap.

Ik veeg de brokstukken bij elkaar, tandwieltjes en wijzers en glasscherven, leg ze in een hoopje naast de hamer, als een kerstversiering van Freddy 1, en loop terug naar de slaapkamer.

'Wat was dat?' mompelt ze.

'Ik ben het maar,' fluister ik, kruip in mijn bed en val in slaap.

De volgende dag is het helder en fraai. Oom Oskar komt op bezoek met een gebraden ham onder zijn ene arm en een fles drank onder zijn andere, oom Oskar die nooit drinkt en die dat nu ook niet doet, hij niet en mijn moeder niet. Ze zitten met ieder een kop koffie aan de keukentafel en ronden een ernstig gesprek af als Linda en ik binnenkomen na een vermoeiende werkdag op de skihelling, waar Linda grote vorderingen heeft gemaakt, een beetje afhankelijk van hoe je het bekijkt, maar niet zoveel opzien heeft gebaard als Freddy 1 die met kerst springski's heeft gekregen, tweedehands.

'Kijk, daar hebben we de kinderen,' grinnikt oom Oskar, en mijn moeder kijkt naar ons alsof ze hetzelfde denkt, míjn kinderen, de troefkaart en zijn zusje; ze neemt niet eens de moeite ons te helpen met onze schoenen en kleren, wij redden ons zelf wel, maar ze kijkt toe met dezelfde glimlach als die op het gezicht van oom Oskar te zien was in het licht van de petroleumlamp in de houtkelder van oma toen hij merkte dat Linda net als alle andere kinderen was, hij, die haar nog nooit had gezien, alsof daar verse ogen voor nodig waren.

Het rook naar gebraden vlees in de flat, het is weer kerst en warm en we krijgen sinas terwijl mijn moeder en oom Oskar praten over sneeuw en de winter die vooral voor kinderen leuk is, over de rampzalige kerstavond wordt met geen woord gerept, net zomin als over het huwelijk. En als zelfs het kapotte horloge niet ter sprake komt, besef ik dat dat een droom is geweest.

Net als we aan tafel willen gaan, komen Jan en Marlene ook op bezoek en blijven net zo makkelijk de hele avond. Marlene met haar nieuwe verlovingsring, gekocht in Arvika, Marlene die in hetzelfde tempo borrels drinkt als oom Tor, zonder dat haar dat is aan te zien. Er worden verhalen verteld over afgelopen zomer, over droogijs en aardappelraces en een winkel die zowel open als gesloten was, verhalen, net zoals wanneer je foto's bekijkt, waarnaar je kunt luisteren zonder dat je zin krijgt om te janken. En terwijl we rond de keukentafel zitten te kletsen en koud zwoerd eten zodat het in alle schedels knarst en we daarna kaartspelletjes doen en Linda één keer wint, met mij als partner, zonder dat we daar moeite voor hoeven doen, ontmoet ik de blik van mijn moeder over de tafel heen en we besluiten samen – voel ik – dat het leven nu verdomme begint! Nu zal het ook hier in huis zo gaan als het hoort. En zo zal het de winter en de lente blijven, afkloppen, en de zomer en de herfst en verder de hele jaren zestig door, dat formidabele decennium toen mannen jongens werden en huismoeders vrouwen, het decennium dat begon met een zinloze opknapbeurt en een beroerde financiële situatie en vooral met een klein zwak meisje dat op een zwarte novemberdag uit de Grorud-bus stapte met een atoombom in een lichtblauw koffertje en dat ons leven op zijn kop zette.

29

Ze kwamen Linda op 18 januari halen, op school. Ze wisten met andere woorden wat ze deden. Diezelfde middag kregen we bezoek van een man met een hoed en een overjas die een document afleverde en zei dat ze ergens anders in het land goede adoptieouders voor haar hadden gevonden, mensen die al een zoon hadden van mijn leeftijd, zodat de overgang niet zo groot zou zijn – ze zou het goed krijgen.

Toen mijn moeder het niet kon opbrengen om het papier te ondertekenen, zei hij dat dat niks uitmaakte, de formaliteiten waren sowieso al geregeld en goedgekeurd door zowel de kapster als de autoriteiten. Dus restte alleen nog de vraag of Linda niet iets meer mee moest krijgen dan haar schooltas en de kleren die ze aanhad, iets waar ze aan gehecht was, speelgoed, een pop?

Mijn moeder en ik hadden daar ook niet veel op te zeggen.

We zaten elk in een stoel in de woonkamer en ons leven was voorbij. Dat was niet het geval bij de man die hier in dienst van de waarheid zat. Hij begreep ons, zei hij, maar de ervaring leerde dat het zo moest gebeuren, voor de bestwil van het kind.

Toen vertrok hij.

Mijn moeder en ik zeiden die dag niks meer tegen elkaar, voor zover ik me herinner. De volgende ochtend stonden we zoals gewoonlijk op, keken elkaar niet aan bij het ontbijt en aten ook niet echt veel. Daarna gingen we elk ons weegs, een moeder naar haar werk in een winkel om jurken en schoenen te verkopen aan mensen die daarin geïnteresseerd waren en een zoon op weg naar school om achter Tanja te zitten en naar haar zwarte haren te staren zonder een woord te horen.

We kwamen elkaar weer tegen bij het avondeten en zeiden nog steeds niks. Maar midden in de nacht stortte mijn moeder in terwijl ik onbeweeglijk bleef liggen luisteren naar dezelfde geluiden als toen Linda met haar medicijnen was gestopt. En toen ik de volgende middag thuiskwam uit school waren haar spullen verdwenen, de kleren, het speelgoed, de boeken. Amalie. De volgende dag was ook haar bed weg, dat zou wel weer op zolder zijn beland, deze keer zonder mijn hulp. We waren verlamde slachtoffers van een natuurramp en zaten muisstil te wachten op iets nog ergers.

Twee weken later verhuisde Kristian, hij droeg nu geen hoed en overjas meer, maar een trui met sneeuwkristallen en rendieren. Hij had een oude Chevrolet gekocht die hij volstouwde met zijn spullen. Het schaakbord liet hij staan. Hij wilde ons ook de televisie laten houden.

'Die neem je mee,' zei mijn moeder op een toon die ervoor zorgde dat hij gehoorzaamde.

Het zal dat jaar ongetwijfeld ook winter en lente zijn geweest, en zomer, neem ik aan, maar wij bleven binnen, in dekking, ik terug in mijn oude kamer, de kamer van de huurder met uitzicht op Essi. En mijn moeder in haar oude kamer, met uitzicht op niks. Ik had de puf niet meer om naar haar te kijken, we leefden langs elkaar heen op de bodem van de zee der stilte en kwamen pas ergens in september weer aan de oppervlakte. Toen begonnen we de flat weer op te knappen, we kochten eindelijk een boekenkast en beplakten de hele flat met een nog onopvallender behangetje, duur.

'Kunnen we dat wel betalen?' vroeg ik.

'Wat denk je,' zei mijn moeder terwijl ze 's avonds behang knipte en lijm roerde en overdag naar haar werk ging; ze werkte over, ze deed een avondcursus en leerde boekhouden en corrigeerde de boekhouding van mevrouw Haraldsen, voor wie Linda en ik ons destijds in een pashokje hadden moeten verstoppen. Daarna nam ze de boekhouding over, werd verantwoordelijk voor de inkoop van artikelen en werkte over. Het ging met ons zoals met alle anderen in dit land, we kregen het beter.

'Het is net alsof het niet gebeurd is,' zei mijn moeder op een avond aan het einde van oktober terwijl ze van het keukentrapje stapte om ons nieuwe bestaan in ogenschouw te nemen en in volle ernst mompelde dat Linda misschien alleen een engel was geweest die Onze-Lieve-Heer had gezonden om haar leven weer op de rails te krijgen – we hadden haar slechts te leen gehad en moesten dankbaar zijn voor de tijd die we samen hadden gehad.

Ik keek haar aan en wist dat ik haar dit nooit zou vergeven.

Ik behing de muren van mijn kamer met foto's van Engelse pop-sterren en spectaculaire hemellichamen, een onherkenbaar oranje paard en een vergroting van een foto van Woningbouwvereniging *Tonsenjordet usbl*, van het gebied zoals het eruitzag voordat wij er in de jaren vijftig waren kwamen wonen. De kraandrijver van de hijs-kraan midden op de foto was mijn vader die vrijwilligerswerk deed, onzichtbaar op de foto en onzichtbaar in mijn leven, opgeborgen in een lade met zijn dochter, nu even onzichtbaar als hij, ze staat op het strand met Boris en mij, zónder zwembandje.

Ik ging naar de onderbouw in het jaar dat The Doors *When the Music's Over* zongen. En naar het gymnasium op de klanken van Led Zeppelin. Daar ontmoette ik Boris weer. We zaten bij elkaar in de bètaklas en waren nog steeds precies hetzelfde. Maar we hadden geen kruinen meer op ons voorhoofd. We hadden schouderlang haar, we droegen versleten militaire jacks, praatten in code en bereidden ons voor op de revolutie. Het ging met ons zoals met iedereen in dit land, we kregen het beter.

30

De lente dat ik eindexamen gymnasium zou doen, kwam er een brief, die ik toevallig eerder in handen kreeg dan mijn moeder. Ik bleef er een poosje naar zitten kijken. Geadresseerde en afzender waren getypt, waar dat ook goed voor mocht zijn. Afgestempeld in Oslo. Een brief die qua uiterlijk helemaal niets verraadde.

Dus waarom maakte ik hem dan niet open?

Omdat ik niet kon beslissen wat het ergste was, een hulpeloos handschrift dat een tragedie beschreef, of een vaste, zekere hand die een succesverhaal vertelde. Want Linda was ofwel in een tempel der verschrikkingen beland, bewoond door idioten die haar mishandelden en kapotmaakten. Die mogelijkheid brandde als het hellevuur in mijn hoofd. Of ze was nadat ze uit de auto was gestapt begroet door haar nieuwe ouders, een evenwichtige moeder en een toffe vader, en ook dus een jongen van mijn leeftijd. Ze greep de twee vingers van de moeder stevig vast, zo'n greep waarvan haar nieuwe broer, die bijvoorbeeld Øivind heet, meteen beseft dat het een greep voor het leven is, zo'n greep die zich vastklauwt om je hart en die je in de tang houdt tot je doodgaat en die er ook nog is als je in je graf ligt te rotten.

Daarna gaat het zoals het hoort te gaan: het gezin woont op de bovenverdieping van een huis met twee etages en Linda begint op een gerenommeerde school in een omgeving met meer kastanjebomen dan mensen; ze ontmoet leraren die haar leren wat ze moet leren en krijgt vrienden die niet twee keer naar haar hoeven te kijken om te weten wat voor vlees ze in de kuip hebben. 's Zomers gaat ze op vakantie met Øivind en haar ouders, niet in een tent met brandschade, maar in een vakantiehuisje op een plek vol interessante activiteiten waar Øivind haar geduldig in inwijdt. Øivind blijkt een dijk van een vent te zijn. Hij blijkt beter te zijn dan ik. Zodat het misschien wel terecht was dat ze haar hadden geroofd.

Ook dat verhaal brandt als het hellevuur in mijn hoofd.

En daartussenin is niets.

Ik liet de brief liggen, liep naar buiten en belde aan bij Freddy 1, die na de scheiding van zijn ouders min of meer alleen woonde in hun oude flat die we het Adelaarsnest noemden en waar hij en Dundas lijm zaten te snuiven, dat wist ik. Dundas met haar tot op zijn riem en bezig aan een criminele carrière die hem berucht zou hebben gemaakt als hij maar wat meer strategie in zijn kleine lijf had gehad en niet alleen maar tactiek. Freddy 1 was zoals gewoonlijk blij me te zien en zei wat hij de weinige keren dat we elkaar zagen altijd zei, dat hij binnenkort zou ophouden met snuiven en ook naar het gymnasium zou gaan.

'Of denk je dat ik te dom ben, Finn?'

'Ik denk niet dat jij te dom bent, Eén,' zeg ik tegen zijn brede grijns en ik ga zitten en vertel dat ik een brief van Linda heb gekregen. 'Herinneren jullie je Linda nog?'

'Nee,' zegt Dundas.

'Ja, tuurlijk,' zegt Freddy en hij begint zelfs te stralen.

'Daar heb ik jullie advies over nodig,' zeg ik, maar maak een paar lange omwegen voordat ik eindelijk vertel dat ik me afvraag of ik de brief aan mijn moeder moet laten zien.

'Heb je 'm gelezen?' vraagt Freddy 1.

'Nee.'

We halen herinneringen op aan Linda en proberen misschien ook wel tot leven te wekken wat in eerste instantie niet wakker wordt, tot ik ten slotte een soort ja van Freddy 1 krijg, aangezien mijn moeder het tofste wijf van de Travervei is, en een absoluut nee van Dundas, die in een roes zit te rillen en zegt dat alles wat met je jeugd te maken heeft begraven moet blijven

'Verscheur 'm.'

Het was warm die dag. Het was bijna zomervakantie, het begin van een nieuwe stilte. Ik ging weer naar buiten, liep de heuvel bij Hagan op om naar de flatgebouwen te kijken, mijn bergketen, om te kijken of ik iets zag. En ik zag zowel een jeugd die verdwenen was als een jeugd die daar altijd zou zijn, twee werelden die niets met elkaar te maken hadden. Me daarmee verzoenend liep ik weer terug naar huis en naar de brief die me herinnerde aan alle andere brieven die in dit huis met zoveel angst en beven waren ontvangen en gelezen.

Haar handschrift was rond, meisjesachtig, foutloos en vast als een huis, geschreven door een hand die destijds niet één, maar alle mikadostokjes kon oppakken van een hysterische keukentafel in vlammen. En het ging goed met haar. Ja, ze had het er sowieso erg veel over hoe goed het haar ging.

Maar ze kwam ook met een soort aanklacht tegen ons, in de vorm van een afsluitende vraag, dezelfde vraag die ik mezelf al een paar duizend keer had gesteld, maar nooit aan moeder had durven stellen: waarom hadden we haar zomaar laten gaan?

Ze had het dus helemaal niet slecht, absoluut niet – maar hoe hadden we er in hemelsnaam gewoon in kunnen berusten dat iemand ons leven binnendrong en een jeugd stal?

Toen schoot me de dag te binnen dat ik de lagere school zou verlaten, toen De Aal me in het oog kreeg en mij voor de laatste keer binnenriep in zijn rokerige tempel, omdat hij, zoals hij zei, graag een observatie met me wilde delen.

'Ik werk al op deze school zolang die bestaat,' zei hij met zijn gele glimlach waar ik nog steeds geen peil op kon trekken. 'En ik heb in al die jaren nog nooit zoiets meegemaakt als wat jij en die merkwaardige kameraad van je hebben gedaan toen je zus gepest werd. Nooit.'

Ik snapte niet waar hij naartoe wilde.

'Het kon absoluut niet door de beugel,' zei hij. 'Jullie hebben die jongen bijna doodgeslagen. Maar,' ging hij na een korte pauze verder, 'kinderen doen zoiets niet.'

'Hè?'

'Kinderen nemen het niet op die manier voor elkaar op, zelfs broers en zussen niet.'

Hij keek alsof hij iets essentieels had gezegd. Toch kon ik alleen maar mijn eeuwige 'Hè?' herhalen. Hij begon zijn geduld te verliezen.

'Dus misschien is het helemaal niet zo gegaan?'

'Hoe gegaan?'

'Dat jullie hem te grazen namen om je zus te verdedigen? Misschien was er iets heel anders aan de hand?'

Eindelijk drong het tot me door.

'Dat we gewoon zín hadden om hem in elkaar te slaan?'

'Bijvoorbeeld.'

Hij was opgestaan en stond met zijn sigaret te zwaaien.

'Ja, goh, misschien,' kwam ik hem tegemoet, maar met een oud gevoel waarvan ik dacht dat Linda het met zich mee had genomen, voorgoed, want als Freddy 1 die avond niet wilder was geweest dan ik en hij niet compleet door het lint was gegaan, dan had ík dat gedaan en dan was Dundas nooit meer opgestaan. Maar dat was niet wat De Aal wilde horen. En ik was ook niet meer zo zeker van mijn zaak, of ik dat in me had.

'Goed, goed,' zei hij. `Dan houden we het daarop.'

Ik bleef op het balkon staan tot ik mijn moeder de hoek van Blok 2 om zag komen in haar nieuwe zomerkleren, rok en blouse en een kort, licht jasje – langs de droogrekken en over het pad naar de ingang, een fraai loopje, doelbewust en rechtop. Ik had nog steeds genoeg tijd om naar binnen te lopen en de brief te pakken. Maar ik bleef staan tot ik de sleutel in het slot hoorde en vlak daarna haar stem vanuit de flat: 'Heb je de aardappels nog niet opgezet?'

'Nee,' riep ik terug. 'Er is een brief gekomen. Hij ligt op de keukentafel.'

De stilte duurde lang. Na een poosje kwam ze naar het balkon met de brief in haar ene hand en een kop koffie in de andere, ging in de campingstoel zitten en legde haar voeten op het krukje waar ik vroeger altijd op stond af te wassen. Ze was in de badkamer geweest om haar make-up weg te poetsen, en dat misschien niet alleen, want haar tranen liet ze me allang niet meer zien – ze was een mooie, geslaagde vrouw met een gerepareerde jeugd, een filiaalhouder die haar boekhouding op orde had, in alle opzichten, gezien vanuit het verre standpunt van een huurder.

'Godzijdank,' zei ze tegen de brief.

'Ben je van plan te antwoorden?' vroeg ik toen er verder niks meer kwam.

'Natuurlijk.'

'Ik bedoel – ben je van plan antwoord te geven op haar vráág?'

'Natuurlijk,' zei ze weer. En las de brief nog een keer.

'En wát ga je dan antwoorden?'

Ze keek op, maar niet naar mij.

'Ze had het hier ook goed kunnen hebben,' zei ze peinzend. `Maar dat wist ik toen nog niet. Misschien heb ik daarom wel niks gedaan om …'

'Dus het was góéd dat ze haar kwamen halen?'

'Dat zei ik niet,' zei ze terwijl ik opstond en me vastklampte aan de balustrade van het balkon en recht naar de berg van Essi staarde. 'We stonden gewoon niet sterk genoeg.'

Ik draaide me om. En nu keek ze me aan. 'Ze wisten alles van ons.'

'O?'

Weer dat gezicht dat ze altijd trekt als ik niet snap wat toch zo voor de hand ligt.

'De huurder?' snapte ik toen toch. Ze knikte.

'Ik weet niet waarom hij dat gedaan heeft. Maar ik heb geprobeerd haar te vinden – één keer.'

'Zonder mij iets te vertellen?'

'Je was nog maar een kind, Finn.'

Ik vroeg me af of ik ooit een kind was geweest en ik besefte ook dat we geen van beiden de huurder bij zijn naam hadden genoemd sinds hij ons had verlaten; ik had eigenlijk altijd al geweten dat het Kristian geweest was, Kristian, tramconducteur en zeeman, instrumentmaker, bouwvakker en vakbondsman, tentbezitter en sleetse filosoof in een popeline jas – die nog niet eens met skiën kon vallen zonder de waarheid eruit te flappen.

'Jij vond hem toch aardig?' vroeg mijn moeder.

'Ik weet het niet.'

'Je probeerde het in elk geval?'

Ik had mijn best gedaan, ja. En ik voelde dat ik ofwel net als zij kon doen, min of meer tevreden knikken omdat het goed ging met Linda en het daarbij laten, of ik kon naar mijn kamer lopen en het schaakspel dat hij had laten staan aan gruzelementen slaan. Maar geen van beide opties was reëel.

'Ik vind dat jíj moet schrijven,' zei ze opeens. 'Jij kunt dat immers zo goed?'

'En vertellen dat het niets uitmaakte dat ze haar meenamen?' vroeg ik sarcastisch en ik had meteen spijt. 'Natuurlijk,' verbeterde ik mezelf. 'Natuurlijk schrijf ik.'

'We doen het nu meteen,' zei ze. Ze stond op en liep naar binnen om pen en papier te halen.

Ik bleef in haar koffiekopje staan kijken dat ze als gewicht op Linda's brief had gezet, zodat de wind er geen vat op zou krijgen – de uiteindelijke vrijspraak, zoals mijn moeder het waarschijnlijk zag, om daarna mijn blik weer naar de bergwand van Essi te laten gaan en hem daar te laten rusten terwijl ik erover nadacht of ik er echt klaar voor was, om te ontdekken of ik het in me had, of ik het ooit in me had gehad.